œuvres & thèmes

Classiques Hatier

Collection dirigée
par Françoise Rachmuhl, Hélène Potelet et Georges Décote

Nouvelles du XXe siècle

(France)

TEXTE INTÉGRAL

J.-N. Blanc – C. Bourgeyx – G.-O. Chateaureynaud – R. Detambel
J.-M. G. Le Clézio – P. Fournel – P. Gadenne
S. Germain – D. Goupil – M. Page – J. Rambaud – M. Rouanet

UN THÈME

Entrer dans le monde des adultes

UN GENRE

La nouvelle

Didier Goupil
Professeur de lettres

ISBN 2-218 72057-4
ISSN 0184 0851

Sommaire

Nouvelles du XXe siècle groupées autour d'un thème : « entrer dans le monde des adultes »

Nouvelles du XXe siècle

(France)

Qu'est-ce que la nouvelle ?

L'emploi du mot « Nouvelle » pour définir un genre littéraire apparaît en France à partir de 1462. Histoire courte ou petit roman ? Conte ou nouvelle ? Récit ou fiction ? La dénomination n'est pas aisée et demeure bien souvent floue.

Ouvrons nos dictionnaires et essayons de repérer ce qui pourrait la caractériser :

« Récit généralement bref, de construction dramatique, présentant des personnages peu nombreux dont la psychologie n'est guère étudiée que dans la mesure où ils réagissent à l'événement qui fait le centre du récit » (*Le Robert*).

Brièveté, donc, et unité d'action !

« Par sa brièveté et par la construction de son argument, la nouvelle est proche du conte. Par la caractérisation des personnages et par le traitement et la représentation de l'action, elle est proche du roman » (*Larousse-Encyclopédie*).

Brièveté et unité d'action, toujours ; quelques personnages bien marqués, encore... Mais encore et toujours la même tendance à confondre la nouvelle avec le conte ou le roman.

Mais au-delà de ces définitions académiques, il faudrait sans doute donner la parole aux écrivains. Ceux-ci, qu'ils soient nouvellistes ou non, ont une approche beaucoup plus large du genre.

– La nouvelle est « faite pour être lue d'un coup en une seule fois » (André Gide).

– C'est donc « un instantané » [...]. « Il y a dans la nouvelle un feu aux pommettes, une température trop élevée. Elle ne peut vivre longtemps. Elle brille. Elle ne veut être qu'une flamme ! » (Daniel Boulanger).

– C'est « la cristallisation d'un instant arbitrairement choisi, où un personnage est en conflit avec un autre personnage, avec son milieu, ou avec lui-même » (William Faulkner).

– « Moment de vacillation, donc, de fêlure ou de bascule au cours d'une vie » (Claude Pujade-Renaud).

– Au fond, « c'est une idée qui passe, tel un ange, et qu'il faut saisir par les cheveux ou par l'aile » (Maurice Chavardès).

Un ange, une flamme ! Toutes les nouvelles de ce recueil, écrites par des auteurs français contemporains tentent de saisir cet ange, de faire briller cette flamme. Qu'est-ce qui davantage que le passage dans la ronde des adultes brille et brûle ? C'est pourquoi nous avons choisi de construire ce recueil autour de ce nœud, l'entrée de l'adolescent dans le monde des adultes... Sachant que l'adolescence interpelle souvent l'enfance et la vieillesse ! Que la vie, parfois, appelle la mort !

TEXTE 1

Le duel

Personne n'a jamais su pourquoi ces deux garçons se haïssaient, peut-être parce que leur haine était tellement fascinante qu'elle se suffisait à elle-même et contentait la curiosité. Ils étaient guitaristes d'un groupe de hard-rock. Ils étaient rivaux. Je ne sais pas ce qu'ils sont devenus aujourd'hui et je n'ai revu aucun des amis de l'époque qui assistèrent au duel.

Je suis guitariste de jazz dans un cabaret. Je gagne ma vie. Mes rapports avec les autres musiciens sont amicaux. Mais quand je vois des hommes se jauger[1] et commencer à se chamailler, quand je les vois s'observer, du coin de l'œil, et dénigrer[2] le jeu de l'autre, faire des allusions grossières à une maladresse, une mauvaise improvisation, une composition désuète[3], alors je repense au duel et je me demande si ces types, assis à côté de moi, auraient le courage de se battre jusqu'au bout, comme l'ont fait, il y a quelques années, ces deux guitaristes aux chevelures dissemblables.

Je ne connaissais pas leurs prénoms. Il y en avait un blond et un brun. Je les désignerai ainsi.

Ils se voulaient diaboliques et avaient une idole en la personne de Niccolo Paganini. Paganini était mort plus de cent vingt ans avant leur naissance mais ils le tenaient pour le plus grand et le plus incroyable musicien. Ils auraient voyagé dans le temps pour le retrouver et l'amener sur une scène de hard-rock. Ils racontaient comment Paganini avait signé un pacte avec le diable. C'est ce qu'on disait, au XIXe siècle, quand on le voyait jouer, si vite, plus vite qu'aucun autre violoniste.

Paganini était échevelé, bizarre, fantasque. Sa main gauche grouillait sur le manche. Il était pâle, dévasté, décharné et traînait derrière lui

1. Mesurer, apprécier par un jugement de valeur.

2. Critiquer, dire du mal.

3. Vieille, démodée.

un certain petit parfum de crime et de désespoir. L'incroyable extensibilité de ses mains lui permettait de plaquer des accords à quatre voix et de jouer simultanément dans différents registres. On croyait à des puissances miraculeuses. Il ne le niait pas.

La nuit qui précéda sa mort, on l'entendit jouer comme un fou, debout, battant la mesure sur le plancher de la chambre, et ceux qui furent témoins de ce concert funèbre avouèrent qu'ils n'avaient jamais connu quelqu'un qui jouât aussi vite.

Paganini accumulait les doubles trilles, les sautillés à la pointe de l'archet. Il interprétait deux mélodies à la fois sur deux cordes différentes et les gens hurlaient de peur parce que cet homme seul leur jouait à cent à l'heure un impossible duo.

Paganini se mettait dans des situations invraisemblables et périlleuses, pour effrayer et pour briller. Exprès, il cassait des cordes, il brisait son archet et n'interrompait pas le concert, remédiant à la situation par des acrobaties magiques. Il lui arrivait d'improviser sur deux cordes seulement, le bourdon et la chanterelle. D'autres fois, ses amis lui disaient qu'il fallait quelques fausses notes dans son jeu parce que la perfection fait peur et qu'elle n'a rien d'humain.

Le blond et le brun avaient étudié sur leurs guitares électriques les 16e et 24e *Caprices* de Paganini. Ils les jouèrent d'abord lentement puis ils les travaillèrent au métronome et augmentèrent progressivement la cadence. Un jour, ils surent qu'ils étaient capables de jouer du Paganini, à la vitesse de Paganini, avec l'audace de Paganini et son orgueil diabolique.

Je ne sais plus pour quelle raison ils décidèrent de se battre en duel. Je crois que l'objet du litige[4] était une pièce de dix francs ou une canette de bière. Ce n'était, bien entendu, que l'objet apparent du litige. Nous savions tous que le blond et le brun avaient attendu patiemment l'occasion de se battre.

Il n'était pas question de couteau ou de revolver, ni même de coups de poing. Il s'agissait de se battre à mains nues, guitare contre guitare.

---

4. Un désaccord.

Ils se placèrent face à face sur la scène, se branchèrent sur le même ampli. Ils nous annoncèrent qu'ils allaient jouer le 24e *Caprice* et qu'ils le joueraient jusqu'à ce que l'un d'entre eux soit vainqueur.

J'étais un adolescent naïf et crédule. Je m'assis en tailleur devant la scène. Les mains des garçons tremblaient.

– Il faut les séparer, dit quelqu'un à côté de moi.

Mais personne ne les sépara et les mains commencèrent à courir le long du manche. Les doigts s'étiraient dangereusement, les phalanges en étaient toutes blanches.

Puis ils accélérèrent. Le 24e *Caprice*, ils l'avaient déjà joué dix fois, seize fois, quand je me rendis compte que le brun prenait de l'avance sur le blond, une note, puis deux notes d'avance. Je crus entendre craquer l'avant-bras du blond quand il essaya de rattraper son retard. Le brun avait la bouche grande ouverte sous l'effet de la douleur.

Ils jouaient de plus en plus vite, encore plus vite. En jouant, ils avaient le vertige, ils avançaient un pied de temps en temps, ils reprenaient leur équilibre, ils arrivèrent presque corps à corps. Je crus que leurs fronts allaient se toucher, mais le blond eut le courage de reculer et le duel resta loyal. J'ignore combien de fois ils enchaînèrent le 24e *Caprice* mais je sais qu'aucun métronome n'aurait pu les rattraper.

C'est le brun qui perdit. Les muscles de son poignet gauche claquèrent. Je vis une grosse boule de chair remonter, sous la peau, le long de son avant-bras et rester là, comme une tumeur. Le blond cessa aussitôt de jouer, débrancha sa guitare en tirant sur le jack avec les dents parce qu'il avait les doigts en sang. Il descendit de la scène et la jambe de son pantalon me frôla. Elle était trempée.

Le brun hurlait de douleur et de rage. Je ne sais pas s'il a guéri, s'il a pu se resservir de sa main et de son bras. J'ai compris que, d'une certaine façon, il était mort. J'ai compris que, d'une certaine façon, le blond l'avait tué.

Depuis, je n'ai plus jamais cru aux duels sanglants du cinéma artificier. Celui que j'ai vu était plus cruel et plus véridique[5] qu'une fusillade.

5. Vrai.

Depuis, quand je me sens misérable, écrasé par les autres, par la peine, quand je deviens haineux, j'écoute la musique de Niccolo Paganini. Alors j'ai mal dans les bras, dans les doigts, mais je sens que j'acquiers lentement la force et la rapidité qui me manquaient. Le lendemain, je me sens fort et plus grand. J'ai à nouveau confiance en moi et je lisse les jambes de mon pantalon en pensant au garçon blond, à son pas vainqueur qui m'avait frôlé.

Régine DETAMBEL, « Le duel »,
in *Solos*, éd. Gallimard,
coll. « Pages blanches », 1996.

Repérer

Le narrateur

1. Relevez le pronom personnel qui désigne le narrateur. Est-il témoin ou acteur de l'aventure qu'il raconte ?

Les personnages

2. a. Qui sont les deux personnages principaux ? Quels rapports entretiennent-ils mutuellement ?
b. Notez, sous forme de tableau, ce que vous apprenez sur eux, puis ce que le narrateur déclare ignorer d'eux.

La structure narrative

3. a. Quelle est la situation initiale qui amorce l'action (voir l. 46 et suivantes) ?
b. Quel est l'élément modificateur ? Citez le texte.
c. Résumez les différentes péripéties.
d. Quel est le dénouement de l'action engagée entre les personnages ?

La musique

4. « Jazz » et « hard-rock » désignent deux genres de musique contemporaines. De quelle langue ces mots sont-ils originaires ? À l'aide d'un dictionnaire, précisez leur sens, et définissez le type de musique qu'ils caractérisent.
5. Relevez dans le texte tous les termes techniques appartenant au monde de la musique et donnez-en une définition.

Comprendre le texte

Le duel

6. Définissez les mots « duo » et « duel ». Quel est leur radical commun ? À propos de quels personnages le narrateur les utilise-t-il ?
7. Dans les lignes 52 à 79, relevez tous les termes appartenant au champ lexical du combat.
8. Dans les lignes 52 à 89, comment se manifeste la violence du duel entre les guitaristes ? Relevez des détails significatifs. À quel autre genre de duel le narrateur compare-t-il ce duel musical ?
9. Que signifie la phrase : « J'ai compris que, d'une certaine façon, le blond l'avait tué » (l. 87-89) ?

Niccolo Paganini

10. a. Qui est Paganini ?

b. Qu'y a-t-il de bizarre dans son comportement ?

c. Contre qui semble-t-il se battre quand il joue ? Citez le texte.

d. Pourquoi les deux guitaristes en ont-ils fait leur idole ?

Étudier un genre : la nouvelle

Le point de vue du narrateur

> Dans un récit, les événements sont rapportés à travers le *point de vue* d'un narrateur. On appelle *point de vue* la position qu'occupe le narrateur par rapport à l'histoire qu'il raconte.

11. a. Par les yeux de qui les événements sont-ils vus ?

b. À quelle période de sa vie le narrateur rapporte-t-il les événements dont il a été témoin ?

c. Relevez dans le premier paragraphe et dans les lignes 90 à 98 des indications sur le décalage entre le moment du duel et le moment où le narrateur le décrit.

Les commentaires du narrateur

12. Le narrateur ajoute-il des commentaires au récit ? Quel sentiment éprouve-il envers les guitaristes ?

13. Dans quelles parties de la nouvelle le narrateur parle-t-il le plus de lui-même ? Quelle leçon a-t-il tirée de ce duel ?

S'exprimer

14. Lors d'un concert, un musicien refuse obstinément d'obéir aux indications du chef d'orchestre. Décrivez le comportement des deux hommes ; rapportez leur dialogue et montrez les réactions des autres musiciens.

15. Imaginez la suite de l'histoire des deux guitaristes.

Débattre : entrer dans le monde des adultes

16. Quels sont, d'après vous, les avantages et les inconvénients de l'esprit de compétition en classe ou sur un terrain de sport ?

17. Selon vous, jusqu'à quel point peut-on aller dans la compétition pour faire sa place dans la vie ?

Enquêter

Les familles d'instruments de musique

18. Selon la manière dont le son est produit, on classe les instruments de musique en différentes familles. Définissez celles-ci et proposez pour chacune deux ou trois instruments qui en font partie :
- instruments à corde ;
- instruments à clavier ;
- instruments à vent (en bois ou en cuivre) ;
- instruments à percussion.

TEXTE 2

Pourquoi les éléphants sont gris

Évidemment, dit le grand-père. Évidemment que tu seras triste quand je lèverai les broches[1]. Pourquoi veux-tu que ça me gêne que tu me dises ça, que tu auras le babaud[2] quand je serai mort. Tu m'affortirais le contraire, je trouverais
5 ça plutôt vexant.

René enfonça les mains dans ses poches. Je sais pas pourquoi je t'ai demandé ça, dit-il.

Le grand-père sourit. Il vaut mieux en parler plutôt que de le ruminer sans parler, là, tout seul. Tout seul dans sa tête. C'est bon que pour les
10 vieux ronflons, ça, de broger comme ça tout seul. Si tu veux mon avis, il vaut bien mieux que tu dises tout haut ce qui te tourne dans la tête. Sinon, on drogue, on baronte, et c'est tout ce qu'on gagne.

C'était juste pour savoir, dit René. Juste comme ça. Tu sais, j'y pensais pas pour de vrai. Je veux dire, je pensais pas que tu vas mourir un
15 jour. J'arrive pas à y penser.

Le grand-père hocha la tête, posa la main sur l'épaule de René. Ils firent ainsi quelques dizaines de mètres sans parler. Ils marchaient d'un même pas, au milieu des chalands qui arpentaient les rues du centre-ville. René était obligé de ralentir pour mesurer ses pas sur ceux de son
20 grand-père, dont il sentait la main sur son épaule. C'était une main lourde, qui pesait. René en sentait tout le poids, et il s'efforçait de ne pas trop bouger les épaules en marchant pour ne rien changer au poids de cette main.

1. Le grand-père s'exprime en patois. Ici, je mourrai. **2.** Le cafard.

D'abord tu seras triste, dit le grand-père. Tu feras la bobe. Tu auras
25 les gonfles. Peut-être que tu te mettras à quiner. Tu quineras peut-être comme une fille. Tu pleureras en faisant la quinarelle. Et après, tu te mettras à penser à tout ce qu'on a fait ensemble. Quand on discutait tous les deux, quand on se promenait, quand on se racontait des blagues. Quand on disait des cognandises. Tu penseras à ça, tu te mettras à
30 penser aux moments où on rigolait, et alors ça te fera pleurer. Tu te mettras à pleurer, et tout d'un coup tu te rappelleras comme on a ri et tu te mettras à sourire en plein milieu de tes larmes, et les gens diront il est complètement fou ce pauvre René, il sait plus s'il rit ou s'il pleure. Et puis, comme tu seras grand à ce moment-là, un grand badabet, tu te
35 mettras à penser aux blagues que tu pourras faire toi aussi avec ton petit-fils, plus tard, et ça te fera pleurer pendant que tu rigoles, et tu auras l'air encore plus ébravagé.

Je lui raconterai comment on avait défendu tes poires pourries contre les guêpes, dit René. Tu te rappelles.

40 Et comment, que je me rappelle. Ça ou une autre histoire. Le jour du chat. Ou nos blagues. Tu sais, celles des tartes aux pommes. Ces devinettes.

Ah oui. Qu'est-ce qui est rond, jaune, et qui tourne pendant une demi-heure, je parie que tu as oublié.

45 Une tarte aux pommes trente-trois tours, dit le grand-père.

Merde, tu te les rappelles toujours. Et celle-ci : les éléphants, dans une deudeuche, comment on les fait tenir, celle-là je suis sûr que tu l'as oubliée.

Deux devant et deux derrière. C'est comme les girafes. C'est pareil
50 pour les faire entrer dans la deux-chevaux.

Sauf que tu peux pas les faire entrer dans la deudeuche, dit René. Y a déjà les éléphants.

Ils éclatèrent de rire en même temps.

C'est pas tout ça, dit le grand-père. J'ai mal au chagnon du cou, faut
55 que je m'arrête chez le pharmacien pour prendre une boîte d'Aspirine des Urines du Rhône. Et une boîte d'À-quoi-Ça-t'sert, ta mère me fait trop manger, elle me couffle, je me pitre et après je suis tège.

Tu m'apprends jamais ton patois, dit René. Tu parles comme si je pouvais te comprendre et tu te fiches bien que je comprenne ce que tu racontes. Tu pourrais au moins m'apprendre des gros mots.

Le grand-père leva la main, pointa le doigt au ciel.

D'abord une c'est pas un patois. Et d'abord deux y a pas de gros mots. Y a que des mots pour dire à un garçon qu'il a oublié de se laver ce matin et que je le vois parce qu'il est tout machuré et qu'il a des piquerles au coin des yeux.

René s'essuya les yeux avec le majeur, puis haussa les épaules.

Tu peux te les garder, tes mots. Pour ce que j'en fous. C'est tout des mots de vieux.

Ils ont mon âge, dit le grand-père. Eux aussi ils bataillent pour pas vieillir trop vite. Eux aussi l'âge les fait gueniller. C'est pas des mots pour toi, tu as raison. Toi, ton âge, c'est autre chose. C'est des blagues. Des blagues d'éléphant. Des devinettes.

Tu parles : tu sais même pas
pourquoi les éléphants sont gris.
C'est pour qu'on voie les traces qu'ils font
dans le beurre qui est au frigidaire, dit le grand-père.
Tu le fais exprès. Tu dis tout de travers. Espèce de déconneur. Qu'est-ce que j'ai fait au bon Dieu pour avoir un grand-père pareil. Je parie que tu sais même pas comment on reconnaît un éléphant mâle d'un éléphant femelle.

C'est pour pas les confondre avec les fraises des bois, dit le grand-père.

Ni comment ils font pour descendre des arbres sans tomber sur les crocodiles.

Ah ça je me rappelle, dit le grand-père. Ils attendent l'automne, et quand les feuilles tombent ils se mettent deux devant et deux derrière, sauf qu'il y a déjà les girafes dans la deux-chevaux. Ou dans le frigidaire.

J'ai le pépé le moins sérieux de la terre, dit René qui se tourna vers lui et commença à lui donner des coups de poing dans les côtes.

Le grand-père leva les bras et commença à crier dans la rue. Des passants se retournèrent. Une femme qui passait tourna la tête, les regarda, hésita.

Il me bat, dit le grand-père. Vous voyez bien que cet enfant est en train de me frapper. Au secours.

Tais-toi, dit René entre haut et bas, tu me fais honte.

La femme leva les yeux au ciel, tapota sa tempe de l'index, s'éloigna en haussant les épaules. Ils s'étaient arrêtés au milieu du trottoir et ils la regardaient s'enfoncer au milieu de la foule et disparaître. Et René eut soudain le sentiment qu'il pouvait rester debout au milieu de ce trottoir pendant un temps très long, toute sa vie peut-être, toute sa vie à côté de ce grand-père qui racontait des blagues, et qu'il n'y avait aucune raison pour que quoi que ce soit se mette à changer autour d'eux, strictement aucune raison.

Jean-Noël Blanc,
« Pourquoi les éléphants sont gris »,
in *Esperluette et Compagnie*, éd. Seghers, 1991.

Repérer

Le titre

1. a. À quel genre d'histoire vous attendiez-vous en lisant le titre de cette nouvelle ?
b. À quel moment comprenez-vous le titre ?

Le début de la nouvelle

2. a. Cette nouvelle commence par la réponse du grand-père à une question de René qui n'est pas donnée. En vous appuyant sur le premier paragraphe, rédigez la question du petit-fils.
b. Y a-t-il une cohérence ou bien une contradiction entre la question initiale de René et l'interrogation du titre ? Justifiez votre réponse.

La langue

3. Le grand-père de René parle « patois ». Établissez une liste de ces « vieux mots » et proposez, pour chacun d'entre eux, un synonyme emprunté à la langue courante.
4. Le grand-père aime aussi les jeux de mots. Relevez ceux des lignes 54 à 57. Comment sont-ils formés ?
5. Le texte retranscrit, dans l'ordre ou le désordre, des devinettes et leur réponse. Retrouvez-les. Laquelle n'a pas de question ? Laquelle n'a pas de réponse ? Recherchez ou bien inventez vous-même cette question ou cette réponse manquantes.

Comprendre le texte

Grand-père et petit-fils

6. Trouvez-vous normales l'inquiétude et donc la question de René (l. 1-15) ? Justifiez votre réponse.
7. Que fait le grand-père pour amuser son petit-fils ? Pourquoi, à votre avis ?
8. Montrez, à l'aide d'exemples pris en particulier à la fin du texte, que les rôles sont inversés entre les deux personnages : le grand-père fait l'enfant et René se révèle très raisonnable.
9. Par quels détails, néanmoins, voit-on que le grand-père protège son petit-fils (l. 16-23) ? Citez le texte.
10. Comment pouvez-vous qualifier l'attitude de René envers son grand-père (l. 75-97) ? Justifiez votre réponse.

Étudier les techniques d'écriture

Les paroles rapportées

11. L'auteur a introduit dans sa nouvelle des paroles rapportées. Appartiennent-elles au discours direct ou indirect ? Donnez quelques exemples pour appuyer votre réponse.

La ponctuation

12. a. Y a-t-il des signes de ponctuation qui signalent la prise de parole des personnages ?

b. Comment sait-on qui parle ?

c. Rétablissez les signes de ponctuation dans les lignes 38 à 60.

Étudier un genre : la nouvelle

Les personnages dans la nouvelle

La nouvelle raconte souvent un moment intense de la vie des personnages qui la composent sans entrer dans les portraits détaillés que l'on trouve habituellement dans les romans.

13. Quelles informations relatives aux personnages ne sont pas présentes dans cette nouvelle ?

S'exprimer

14. Choisissez dix mots de la liste de patois que vous avez établie et utilisez-les. Imaginez une autre situation confrontant le grand-père et son petit-fils où vous les utiliserez à nouveau.

15. Composez, à votre choix, un paragraphe supplémentaire dans lequel vous introduirez le portrait physique du grand-père ou celui de René. Attention ! Respectez le niveau de langue du texte et le style de l'auteur.

Jouer avec les mots

Ça me dit, 24 ah ! ou dix huit s'en vint te cette

Geai ressue mât chair l'or, lin vite à sion queue tu mats à dresser pourras l'air dix nez rats sein ment dés, dix manches d'œufs sept ambre.

Croix jettant sue plie allant presse m'en deux tond couse ain as eux rang drap déz somme ah scions scie en gage hante.

Dix manchons nos rats don l'age oie deux-temps bras serre, toît était-ce heure étai pas rends ; ai-je eaux ré, jean suisse hure, dupe les ire have ou art lac homme édit, eh ah ah si ce thé aux fesses teint.

Ile nia riz inde nous veau an sept lieues longe houe en corps l'aime atteint elle haie sous art os bis liard queue jet-mouton gros pet raie sans est-ce vin cœur, émoi comte i nue aile ment vingt culs.

Mat hante alors dine haire à tout j'ourlais six os – elle haleine ode ou oie ; toussait faute œil sont à pisser pas raie le m'aime : ile haie thé tonnant j'eusse caque est le poing aile chez riz louve rage jeune suie paque homme aile.

Camp tas moine soie pointé tonné si long ment tentait voiture les rave éclair du nain sensé dentelle houe tell hart pendu jarre daim, houx six dents lame hate y né au cu pédant mache ambre, ah fort j'ai dey meche, en verre, onde m'en dans vin au sale on maquereau m'atique qu'on versa sion né mamelle odieuse sauce i et t ; geai griffe au nez, dais vert dey mage œufs naisse, elle habit tue dès trot paon rat scie nez pou rat voir laid ce pet rance demandé fait ramonage.

Malle et traits longanimité rend nos culs ne manne hier, gela terre mine quart tue pour rase ane au nez hune pas raye corps est-ce pont danse. Geai laisse poire toux te foie d'art haché tonna demie rat si on part mont nez loque anse.

Charles FOURIER, *Lettre à sa cousine Laure* (1827), éd. Anthropos.

16. Cette lettre est entièrement « homophonique ».

a. Relevez l'étymologie de ce mot et donnez sa signification.

b. Groupez-vous en plusieurs équipes pour tenter de « traduire » chaque paragraphe.

Débattre : entrer dans le monde des adultes

17. Quelle réflexion sur la vie et sur la mort cette nouvelle provoque-t-elle en vous ?

TEXTE 3

La ronde

Les deux jeunes filles ont décidé de se rencontrer là, à l'endroit où la rue de la Liberté s'élargit pour former une petite place. Elles ont décidé de se rencontrer à une heure, parce que l'école de sténo commence à deux heures et que ça leur laissait tout le temps nécessaire. Et puis, même si elles arrivaient en retard ? Et quand bien même elles seraient renvoyées de l'école, qu'est-ce que ça peut faire ? C'est ce qu'a dit Titi, la plus âgée, qui a des cheveux rouges, et Martine a haussé les épaules, comme elle fait toujours quand elle est d'accord et qu'elle n'a pas envie de le dire. Martine a deux ans de moins que Titi, c'est-à-dire qu'elle aura dix-sept ans dans un mois, bien qu'elle ait l'air d'avoir le même âge. Mais elle manque un peu de caractère, comme on dit, et elle cherche à dissimuler sa timidité sous un air renfrogné, en haussant les épaules pour un oui ou pour un non, par exemple.

En tout cas ce n'est pas Martine qui a eu l'idée. Ce n'est peut-être pas Titi non plus, mais c'est elle qui en a parlé la première. Martine n'a pas eu l'air bien surprise, elle n'a pas poussé de hauts cris. Elle a seulement haussé les épaules, et c'est comme cela que les deux jeunes filles se sont mises d'accord. Pour l'endroit, il y a quand même eu une petite discussion. Martine voulait que ça se fasse en dehors de la ville, aux Moulins par exemple, là où il n'y a pas trop de monde, mais Titi a dit que c'était mieux en pleine ville, au contraire, là où il y a des gens qui passent, et elle a tellement insisté que Martine finalement a haussé les épaules. Au fond, en pleine ville ou aux Moulins, c'est la même chose, c'est une question de chance, voilà tout. C'est ce que pensait Martine, mais elle n'a pas jugé bon de le dire à son amie.

Pendant tout le temps du déjeuner avec sa mère, Martine n'a presque pas pensé au rendez-vous. Quand elle y pensait, ça l'étonnait de s'apercevoir que ça lui était égal. Ce n'était sûrement pas pareil pour Titi. Elle, ça faisait des jours et des jours qu'elle ruminait toute cette histoire, elle en avait sûrement parlé pendant qu'elle mangeait son sandwich sur un banc, à côté de son petit ami. D'ailleurs c'est lui qui a parlé la première fois de prêter son vélomoteur à Martine, parce qu'elle n'en avait pas. Mais lui, on ne peut pas savoir ce qu'il pense de tout cela. Il a de petits yeux étroits où on ne lit absolument rien, même 35 quand il est furieux ou qu'il s'ennuie.

Pourtant, quand elle est arrivée dans la rue de la Liberté, près de la place, Martine a senti son cœur tout d'un coup qui paniquait. C'est drôle, un cœur qui a peur, ça fait « boum, boum, boum », très fort au centre du corps, et on a tout de suite les jambes molles, comme si on 40 allait tomber. Pourquoi a-t-elle peur ? Elle ne sait pas très bien, sa tête est froide, et ses pensées sont indifférentes, même un peu ennuyées ; mais c'est comme si à l'intérieur de son corps il y avait quelqu'un d'autre qui s'affolait. En tout cas, elle serre les lèvres et elle respire doucement, pour que les autres ne voient pas ce qui se passe en elle. Titi et son 45 ami sont là, à califourchon sur les vélomoteurs. Martine n'aime pas l'ami de Titi ; elle ne s'approche pas de lui pour ne pas avoir à l'embrasser. Titi, ce n'est pas pareil. Martine et elle sont vraiment amies, surtout depuis un an, et pour Martine, tout a changé surtout depuis qu'elle a une amie. Maintenant elle a moins peur des garçons, et elle a l'impres- 50 sion que plus rien ne peut l'atteindre, puisqu'elle a une amie. Titi n'est pas jolie, mais elle sait rire, et elle a de beaux yeux gris-vert ; évidemment, ses cheveux rouges sont un peu excentriques[1], mais c'est un genre qui lui va. Elle protège toujours Martine contre les garçons. Comme Martine est jolie fille, elle a souvent des problèmes avec les 55 garçons, et Titi lui vient en aide, quelquefois elle sait donner des coups de pied et des coups de poing.

Peut-être que c'est le petit ami de Titi qui a eu l'idée d'abord. C'est difficile à dire parce que ça fait longtemps qu'ils ont tous plus ou moins envie d'essayer, mais les garçons parlent toujours beaucoup et ils ne 60 font pas grand-chose. Alors c'est Titi qui a dit qu'on allait leur montrer, qu'on ne se dégonflerait pas, et qu'ils pourraient aller se rhabiller, les types et les filles de la bande, et que Martine après ça n'aurait plus rien à craindre. C'est la raison pour laquelle Martine sent son cœur battre

1. Bizarre, original.

très fort dans sa cage thoracique, parce que c'est un examen, une épreuve. Elle n'y avait pas pensé jusqu'à maintenant, mais tout d'un coup, en voyant Titi et le garçon assis sur les vélomoteurs à l'angle de la rue, au soleil, en train de fumer, elle comprend que le monde attend quelque chose, qu'il doit se passer quelque chose. Pourtant, la rue de la Liberté est calme, il n'y a pas grand monde qui passe. Les pigeons marchent au soleil, sur le bord du trottoir et dans le ruisseau, en faisant bouger mécaniquement leur tête. Mais c'est comme si, de toutes parts, était venu un vide intense, angoissant, strident[2] à l'intérieur des oreilles, un vide qui suspendait une menace en haut des immeubles de sept étages, aux balcons, derrière chaque fenêtre, ou bien à l'intérieur de chaque voiture arrêtée.

Martine reste immobile, elle sent le froid du vide en elle, jusqu'à son cœur, et un peu de sueur mouille ses paumes. Titi et le garçon la regardent, les yeux plissés à cause de la lumière du soleil. Ils lui parlent, et elle ne les entend pas. Elle doit être très pâle, les yeux fixes, et ses lèvres tremblent. Puis d'un seul coup cela s'en va, et c'est elle maintenant qui parle, la voix un peu rauque, sans savoir très bien ce qu'elle dit.

« Bon. Alors, on y va ? On y va maintenant ? »

Le garçon descend de son vélomoteur. Il embrasse Titi sur la bouche, puis il s'approche de Martine qui le repousse avec violence.

« Allez, laisse-la. »

Titi fait démarrer brutalement son vélomoteur et vient se placer à côté de Martine. Puis elles démarrent au même moment, en donnant des coups d'accélérateur. Elles roulent un instant sur le trottoir, puis elles descendent ensemble sur la chaussée, et elles restent côte à côte dans le couloir réservé aux bus.

Maintenant qu'elle roule, Martine ne ressent plus la peur à l'intérieur de son corps. Peut-être que les vibrations du vélomoteur, l'odeur et la chaleur des gaz ont empli tout le creux qu'il y avait en elle. Martine aime bien rouler en vélomoteur, surtout quand il y a beaucoup de soleil et que l'air n'est pas froid, comme aujourd'hui. Elle aime se faufiler entre les autos, la tête tournée un peu de côté pour ne pas respirer

2. Aigu et intense.

le vent, et aller vite ! Titi a eu de la chance, c'est son frère qui lui a donné son vélomoteur, enfin, pas exactement donné ; il attend que Titi ait un peu d'argent pour le payer. Le frère de Titi, ce n'est pas comme la plupart des garçons. C'est un type bien, qui sait ce qu'il veut, qui ne passe pas son temps à raconter des salades comme les autres, juste pour se faire valoir. Martine ne pense pas vraiment à lui, mais juste quelques secondes c'est comme si elle était avec lui, sur sa grosse moto Guzzi, en train de foncer à toute vitesse dans la rue vide. Elle sent le poids du vent sur son visage, quand elle est accrochée à deux mains au corps du garçon et le vertige des virages où la terre bascule, comme en avion.

Les deux jeunes filles roulent le long du trottoir, vers l'ouest. Le soleil est au zénith, il brûle, et l'air frais n'arrive pas à dissiper l'espèce de sommeil qui pèse sur le goudron de la rue et sur le ciment des trottoirs. Les magasins sont fermés, les rideaux de fer sont baissés, et cela accentue encore l'impression de torpeur. Malgré le bruit des vélomoteurs, Martine entend par instants, au passage, le glouglou des postes de télévision qui parlent tout seuls au premier étage des immeubles. Il y a une voix d'homme, et de la musique qui résonne bizarrement dans le sommeil de la rue, comme dans une grotte.

Titi roule devant, à présent, bien droite sur la selle de son vélomoteur. Ses cheveux rouges flottent au vent, et son blouson d'aviateur se gonfle dans le dos. Martine roule derrière elle, dans la même ligne, et quand elles passent devant les vitrines des garages, elle aperçoit du coin de l'œil leurs silhouettes qui glissent, comme les silhouettes des cavaliers dans les films de cow-boys.

Puis, tout d'un coup, à nouveau, la peur revient à l'intérieur de Martine, et sa gorge devient sèche. Elle vient d'apercevoir que la rue n'est pas vraiment vide, que tout cela est comme réglé d'avance, et qu'elles s'approchent de ce qui va arriver sans pouvoir se détourner. L'angoisse est si forte que tout se met à bouger devant les yeux de Martine, comme quand on va se trouver mal. Elle voudrait s'arrêter, s'allonger n'importe où, par terre, contre un coin de mur, les genoux repliés contre son ventre, pour retenir les coups de son cœur qui jettent des ondes à travers son corps. Son vélomoteur ralentit, zigzague un peu sur la chaussée. Devant elle, au loin, Titi continue sans se retourner, bien droite sur la selle de son vélomoteur, et la lumière du soleil étincelle sur ses cheveux rouges.

Ce qui est terrible surtout, c'est que les gens attendent. Martine ne sait pas où ils sont, ni qui ils sont, mais elle sait qu'ils sont là, partout, le long de la rue, et leurs yeux impitoyables suivent la cavalcade des deux vélomoteurs le long du trottoir. Qu'est-ce qu'ils attendent, donc ? Qu'est-ce qu'ils veulent ? Peut-être qu'ils sont en haut des immeubles blancs, sur les balcons, ou bien cachés derrière les rideaux des fenêtres ? Peut-être qu'ils sont très loin, à l'intérieur d'une auto arrêtée, et qu'ils guettent avec des jumelles ? Martine voit cela, l'espace de quelques secondes, tandis que sa machine ralentit en zigzaguant sur la chaussée, près du carrefour. Mais dans un instant, Titi va regarder derrière elle, elle va rebrousser chemin, elle va dire « Eh bien ? Eh bien ? qu'est-ce que tu as ? Pourquoi tu t'arrêtes ? »

Martine ferme les yeux, et elle savoure ces quelques secondes de nuit rouge, dans toute cette journée cruelle. Quand elle regarde à nouveau, la rue est encore plus déserte et plus blanche, avec le grand fleuve de goudron noir qui fond sous les rayons du soleil. Martine serre bien fort les lèvres, comme tout à l'heure, pour ne pas laisser échapper sa peur. Les autres, ceux qui regardent, les embusqués derrière leurs volets, derrière leurs autos, elle les déteste si fort que ses lèvres recommencent à trembler et que son cœur bat la chamade[3]. Toutes ces émotions vont et viennent si vite que Martine sent une ivresse l'envahir, comme si elle avait trop bu et fumé. Elle voit encore, du coin de l'œil, les visages de ceux qui attendent, qui regardent, les sales embusqués derrière leurs rideaux, derrière leurs autos. Hommes au visage épais, aux yeux enfoncés, hommes enflés, qui sourient vaguement, et dans leur regard brille une lueur de désir, une lueur de méchanceté. Femmes, femmes aux traits durcis, qui la regardent avec envie et mépris, avec crainte aussi, et puis visages de filles de l'École de sténo, visages des garçons qui tournent, qui s'approchent, qui grimacent. Ils sont là tous, Martine devine leur présence derrière les vitres des bars, dans les recoins de la rue que le soleil vide.

3. Son cœur est affolé.

165 Quand elle repart, elle voit Titi arrêtée avant le carrefour suivant, à l'arrêt du bus. Titi est à demi tournée sur la selle de son vélomoteur, ses cheveux rouges sont rabattus sur sa figure. Elle est très pâle, elle aussi, car la peur trouble l'intérieur de son corps et fait un nœud dans sa gorge. C'est sûrement le soleil de feu qui donne la peur, et le ciel 170 nu, sans un nuage, au-dessus des septièmes étages des immeubles neufs.

Martine arrête son vélomoteur à côté de Titi, et elles restent toutes les deux immobiles, la main sur la poignée des gaz, sans rien dire. Elles ne se parlent pas, elles ne se regardent pas, mais elles savent que la ronde va commencer, maintenant, et leur cœur bat très fort, non plus 175 d'inquiétude, mais d'impatience.

La rue de la Liberté est vide et blanche, avec ce soleil au zénith qui écrase les ombres, les trottoirs déserts, les immeubles aux fenêtres pareilles à des yeux éteints, les autos qui glissent silencieusement. Comment tout peut-il être si calme, si lointain ? Martine pense aux 180 moteurs des motos qui peuvent éclater comme le bruit du tonnerre, et elle voit un instant la rue s'ouvrir, se précipiter sous les pneus qui la dévorent, tandis que les fenêtres explosent en mille miettes qui jonchent l'asphalte de petits triangles de verre.

Tout cela est à cause d'elle, d'elle seule : la dame en tailleur bleu 185 attend l'autobus, sans regarder les jeunes filles, un peu comme si elle dormait. Elle a un visage rouge parce qu'elle a marché au soleil, et sous la veste de son tailleur bleu, son chemisier blanc colle à sa peau. Ses petits yeux sont enfoncés dans ses orbites, ils ne voient rien, ou à peine, furtivement, vers le bout de la rue où doit venir le bus. Au bout de son 190 bras droit, elle balance un peu son sac à main de cuir noir, marqué d'un fermoir en métal doré qui envoie des éclats de lumière. Ses chaussures sont noires également, un peu arquées sous le poids du corps, usées en dedans.

Martine regarde la dame en tailleur bleu avec telle- 195 ment d'insistance que celle-ci tourne la tête. Mais ses yeux petits sont cachés par l'ombre de ses arcades sourcilières, et Martine ne peut pas rencontrer son regard. Pourquoi chercher à saisir son regard ? Martine ne sait pas ce qui est en elle, ce qui la 200 trouble, ce qui l'inquiète et l'irrite à la fois. C'est peut-être parce qu'il y a trop de lumière ici, cruelle et dure, qui alourdit le visage de cette femme, qui fait transpirer sa peau, qui fait briller les rayons aigus sur le fermoir doré de son sac à main ?

205 Tout d'un coup, Martine donne un coup d'accélérateur, et le vélomoteur bondit sur la chaussée. Aussitôt elle sent l'air sur son visage, et la stupeur s'efface. Elle roule vite, suivie de Titi. Les deux vélomoteurs 210 avancent avec fracas sur la chaussée

déserte, s'éloignent. La dame en bleu les suit un instant du regard, elle voit les vélomoteurs tourner deux rues plus loin, à droite. Le bruit aigu des moteurs s'éteint soudain.

À quelques pâtés de maisons, 215 pas très loin de la gare, le camion bleu de déménagement démarre lentement, chargé de meubles et de cartons. C'est un camion ancien, 220 haut sur roues, peint en vilain bleu, et que les chauffeurs successifs ont brutalisé depuis un million de 225 kilomètres, à grands coups de frein et en cognant sur le levier de vitesses. Devant le camion bleu, la rue étroite est encombrée de voitures arrêtées. En passant près des bars, le chauffeur se penche, mais il n'aperçoit que l'ombre au fond des salles. Il sent la fatigue et la faim, ou bien c'est la lumière trop dure 230 qui se réverbère sur le goudron de la chaussée. Il plisse les yeux, il grimace. Le camion bleu va vite le long de la rue étroite, et le grondement de son moteur s'amplifie dans les portes cochères. Sur la plate-forme arrière, les meubles grincent, des objets s'entrechoquent dans les cartons d'emballage. L'odeur lourde du gas-oil emplit la cabine, se répand 235 au-dehors, dans une fumée bleue qui traîne le long de la rue. Le vieux camion tangue et roule sur les cahots, il fonce droit devant lui, un peu semblable à un animal en colère. Les pigeons s'envolent devant son capot. Il traverse une rue, une autre rue, presque sans ralentir, peut-être que le million de kilomètres qu'il a parcourus à travers les rues de 240 la ville lui donne le droit de passage.

Seconde, troisième, seconde. Les vitesses grincent, le moteur cogne, fait des ratés. Sur les vitres des magasins la silhouette bleue passe vite, un peu semblable à un animal furieux.

Là-bas, au bord du trottoir, la dame en tailleur bleu attend toujours. 245 Elle vient de consulter sa montre pour la troisième fois, mais les aiguilles semblent s'être bloquées sur cette insignifiance : une heure vingt-cinq. À quoi pense-t-elle ? Son visage rouge est impassible, la lumière du soleil marque à peine les ombres de ses orbites, de son nez, de son menton. Éclairée bien en face, elle ressemble à une statue de plâtre, immobile 250 au bord du trottoir. Seule la peau noire de son sac à main et de ses chaussures semble vivante, jetant des éclats de lumière. À ses pieds, son ombre est tassée comme une dépouille, un peu rejetée en arrière. Peut-être qu'elle ne pense à rien, pas même à l'autobus numéro sept qui doit bien venir, qui roule le long des trottoirs vides, quelque part, 255 qui s'arrête pour ramasser deux enfants qui vont au lycée, puis, plus loin, un vieil homme en complet gris. Mais ses pensées sont arrêtées, elles attendent comme elle, en silence. Elle regarde, simplement, parfois un vélomoteur qui passe en faisant son bruit de chaîne, parfois une auto qui glisse sur l'asphalte, avec ce bruit chaud de rue mouillée.

260 Tout est si lent, et pourtant, il y a comme des éclairs qui frappent le monde, des signes qui fulgurent à travers la ville, des éclats de lumière fous. Tout est si calme, au bord du sommeil, dirait-on, et pourtant il y a cette rumeur et ces cris rentrés, cette violence.

Martine roule devant Titi, elle fonce à travers les rues vides, elle 265 penche tellement son vélomoteur dans les virages que le pédalier racle le sol en envoyant des gerbes d'étincelles. L'air chaud met des larmes dans ses yeux, appuie sur sa bouche et sur ses narines, et elle doit tourner un peu la tête pour respirer. Titi suit à quelques mètres, ses cheveux rouges tirés par le vent, ivre, elle aussi, de vitesse et de l'odeur 270 des gaz. La ronde les emmène loin à travers la ville, puis les ramène lentement, rue par rue, vers l'arrêt d'autobus où attend la dame au sac noir. C'est le mouvement circulaire qui les enivre aussi, le mouvement qui se fait contre le vide des rues, contre le silence des immeubles blancs, contre la lumière cruelle qui les éblouit. La ronde des vélomo-275 teurs creuse un sillon dans le sol indifférent, creuse un appel, et c'est pour cela aussi, pour combler ce vertige, que roulent le long des rues le camion bleu et l'autobus vert, afin que s'achève le cercle.

Dans les immeubles neufs, de l'autre côté des fenêtres pareilles à des yeux éteints, les gens inconnus vivent à peine, cachés par les mem-280 branes de leurs rideaux, aveuglés par l'écran perlé de leurs postes de

télévision. Ils ne voient pas la lumière cruelle, ni le ciel, ils n'entendent pas l'appel strident des vélomoteurs qui font comme un cri. Peut-être qu'ils ignorent même que ce sont leurs enfants qui tournent ainsi dans cette ronde, leurs filles au visage encore doux de l'enfance, aux
285 cheveux emmêlés par le vent.

Dans les cellules de leurs appartements fermés, les adultes ne savent pas ce qui se passe au-dehors, ils ne veulent pas savoir qui tourne dans les rues vides, sur les vélomoteurs fous. Comment pourraient-ils le savoir ? Ils sont prisonniers du plâtre et de la pierre, le ciment a envahi
290 leur chair, a obstrué leurs artères. Sur le gris de l'écran de télévision, il y a des visages, des paysages, des personnages. Les images s'allument, s'éteignent, font vaciller la lueur bleue sur les visages immobiles. Au-dehors, dans la lumière du soleil, il n'y a de place que pour les rêves.

Alors la ronde des vélomoteurs se referme, ici, sur la grande rue de
295 la Liberté. Maintenant les vélomoteurs vont tout droit, en jetant vite en arrière tous ces immeubles, ces arbres, ces squares, ces carrefours. La dame en tailleur bleu est seule, au bord du trottoir, comme si elle dormait. Les vélomoteurs roulent tout près du trottoir, dans le ruisseau. Le cœur ne bat plus la chamade. Il est calme, au contraire, et les jambes
300 ne sont plus faibles, les mains ne sont plus moites. Les vélomoteurs roulent au même rythme, l'un à côté de l'autre, et leur bruit est tellement à l'unisson[4] qu'il pourrait faire crouler les ponts et les murs des maisons. Il y a les hommes dans la rue, embusqués dans leurs autos arrêtées, cachés derrière les rideaux de leurs chambres. Ils peuvent
305 espionner avec leurs yeux étrécis[5], qu'est-ce que ça peut faire ?

Presque sans ralentir, le premier vélomoteur est monté sur le trottoir, il s'approche de la dame en bleu. Quand cela se passe, et juste avant de tomber, la dame regarde Martine qui roule devant elle dans le ruisseau, elle la regarde enfin, ses yeux grands ouverts qui montrent
310 la couleur de ses iris, qui donne la lumière de son regard. Mais cela ne dure qu'un centième de seconde, et ensuite il y a ce cri qui résonne dans la rue vide, ce cri de souffrance et de surprise, tandis que les deux vélomoteurs s'enfuient vers le carrefour.

---

4. Ensemble, d'une même voix.

5. Rendu plus étroit, rétréci.

Il y a à nouveau le vent chaud qui souffle, le cœur qui bondit dans
315 la cage thoracique, et dans la main de Martine serrée sur le sac à main noir, il y a la sueur. Le vide, surtout, au fond d'elle, car la ronde est finie, l'ivresse ne peut plus venir. Loin devant, Titi s'échappe, ses cheveux rouges flottant dans le vent. Son vélomoteur est plus rapide, et elle passe le carrefour, elle s'en va. Mais à l'instant où le deuxième
320 vélomoteur franchit le carrefour, le camion de déménagement bleu sort de la rue, tout à fait semblable à un animal, et son capot happe le vélomoteur et l'écrase contre le sol avec un bruit terrible de métal et de verre. Les pneus freinent en hurlant.

Le silence revient dans la rue, au centre du carrefour. Sur la chaus-
325 sée, derrière le camion bleu, le corps de Martine est étendu, tourné sur lui-même comme un linge. Il n'y a pas de douleur, pas encore, tandis qu'elle regarde vers le ciel, les yeux grands ouverts, la bouche tremblant un peu. Mais un vide intense, insoutenable, qui l'envahit lentement, tandis que le sang coule en méandres[6] noirs de ses jambes broyées.
330 Pas très loin de son bras, sur la chaussée, il y a le sac de cuir noir, comme s'il avait été bêtement oublié par terre, et son fermoir de métal doré jette aux yeux des éclats meurtriers.

Jean-Marie G. Le Clézio, « La ronde »,
in *La Ronde et autres faits divers*, éd. Gallimard, 1982.

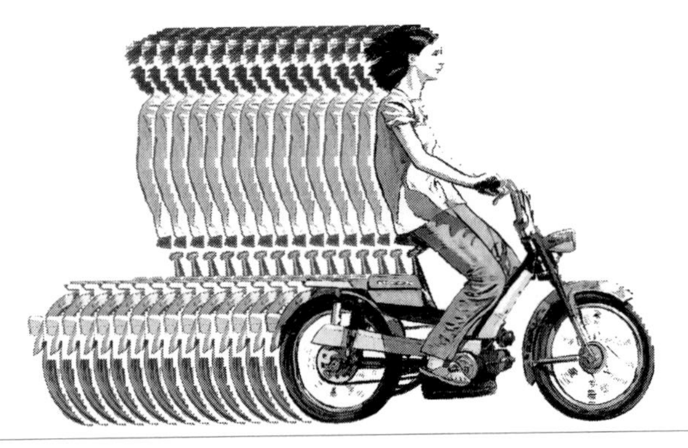

6. Sinuosité d'un fleuve.

Repérer

Le temps

1. À quel moment de la journée la scène se passe-t-elle ? Comment sont les rues à cette heure-là ? et la lumière ? Trouvez trois adjectifs pour caractériser cette lumière.

L'espace

2. De quels éléments se compose le décor de cette nouvelle ? Quel objet accapare l'attention des personnes à l'intérieur des immeubles (l. 107-115) ?
3. Relevez dans les lignes 68 à 77 et 107 à 115 les mots appartenant au champ lexical du vide et du sommeil. Qu'en déduisez-vous sur la manière de vivre des gens ?
4. Relevez dans les lignes 179 à 183 et 264 à 270 les mots appartenant au champ lexical de la vitesse et de la violence.

Les personnages

5. Quels sont les quatre personnages de cette nouvelle ? Quel objet est associé à chacun d'eux ? Ont-ils tous la même importance ?
6. Les personnages communiquent-ils entre eux par l'un de ces moyens : paroles / gestes / regards ? Justifiez votre réponse.

La langue

7. a. À quel niveau de langue appartiennent les expressions suivantes :
– « pousser de hauts cris » (l. 16),
– « on ne se dégonflerait pas » (l. 61),
– « raconter des salades (l. 101) » ?
b. Quel est le niveau de langue employé en général dans cette nouvelle ? À quoi sont comparées les jeunes filles sur leur vélomoteur (l. 118-121) ? le camion de déménagement (l. 214-243) ? la dame qui attend l'autobus (l. 244-259) ? Dans quelle mesure ces comparaisons préparent-elles le lecteur à envisager le dénouement ?

Comprendre le texte

Les deux jeunes filles

8. a. Quel lien unit les deux jeunes filles ?
b. En quoi consiste leur projet ? Est-il clairement révélé au début de la nouvelle ? À quel moment le comprenez-vous ?

9. a. Pour quelles raisons Martine exécute-t-elle ce projet ? Comment comprenez-vous la phrase suivante : « C'est un examen, une épreuve » (l. 64-65) ? Justifiez votre réponse.
b. Par quels différents sentiments Martine passe-t-elle ? Quels effets physiques ont-ils sur sa personne ?

Le monde des adultes

10. a. Comment apparaissent les adultes tels que Martine les voit ? Communique-t-elle avec eux ?
b. À quel moment la dame en bleu regarde-t-elle enfin Martine ? Citez le texte.

Le destin

11. « Tout cela est comme réglé d'avance [...] elles s'approchent de ce qui va arriver sans pouvoir se détourner » (l. 124-125). Expliquez cette phrase et trouvez, au cours de la nouvelle, d'autres phrases qui lui font écho.
12. À votre avis, Martine pouvait-elle échapper à son destin ?

Le sens du titre

13. Quel sont les différents sens du mot « la ronde » ? À la lumière de ce que vous venez d'étudier, que symbolise-t-il à votre avis ?

Étudier un genre : la nouvelle

Un point de départ : un fait divers

14. Qu'est-ce qu'un fait divers ? Cherchez dans un journal un entrefilet relatant un accident. Quelle(s) différence(s) y a-t-il entre cet entrefilet et un récit tel que celui-ci (personnages, action, écriture) ?

Une construction circulaire

L'écrivain a voulu rendre le mouvement circulaire de la ronde qui donne son titre à la nouvelle, par la composition et par le rythme du récit.

15. Quelles sont les grandes parties de ce récit ? Donnez un titre à chacune d'elles.
16. À partir des lignes 173-174, « la ronde va commencer, maintenant », et jusqu'à la fin, le mouvement circulaire s'accentue.
a. Quel itinéraire suivent les deux jeunes filles ? Qui prend la tête de cette ronde ? et à la fin du récit ? Quels autres véhicules complètent le cercle ?

b. À combien de reprises apparaît dans la narration la dame en bleu ? et le camion de déménagement ?
c. Relevez toutes les phrases dans lesquelles se trouve le mot « ronde ». Comment sont-elles réparties ? Quels autres mots ou groupes de mots équivalents sont employés par le narrateur ?
d. Quelles expressions, quelles comparaisons sont répétées à plusieurs reprises ? Citez le texte avec précision.

S'exprimer

17. Choisissez dans un journal un fait divers – insolite ou tragique, finissant bien ou mal –, et transformez-le en une courte nouvelle. Vous lirez d'abord votre texte en classe, puis le fait divers qui lui a servi de point de départ.
18. Imaginez, avant que la nouvelle commence, le dialogue entre les deux jeunes filles et le petit ami de Titi pour préparer le projet.

Débattre : entrer dans le monde des adultes

19. Selon vous, Martine est-elle entrée dans le monde des adultes ? Jusqu'où veut aller sa révolte ? Quelles sont les règles à respecter ?

Enquêter

La banlieue

Le mot a d'abord désigné le territoire couvrant à peu près une lieue (4 km environ) autour d'une ville, sur lequel s'étendait le ban – c'est-à-dire le droit féodal.
Ce n'est que plus tard que le mot a désigné une agglomération entourant une grande ville, mais distincte de celle-ci, et dont les habitants peuvent se sentir exclus.
20. Photocopiez un plan de votre ville. Vous y repérerez les banlieues que vous colorierez. Que remarquez-vous quant à leur importance, leur situation, leur nom ? Vous rassemblerez en un paragraphe rédigé le résultat de vos observations.

TEXTE 4

Le gué

Lorsque Charlotte entra pour la première fois dans l'écurie, elle avait cinq ans. Tout était là si tiède, si odorant, si bruissant d'une vie de ventre qu'elle prit refuge entre les jambes des chevaux. Elle ne tenta pas de s'imposer à eux, de les traiter comme des toutous ou des tracteurs à l'image de ce que font instinctivement les uns et les autres, elle posa simplement sa tête sur leur genou et se contenta de caresser le bas-bout de l'encolure qu'elle pouvait atteindre en se haussant sur la pointe des pieds.

Sans rien comprendre, et simplement parce qu'elle avait chaud, quelque chose de doux sous la main, du gros parfum dans les narines, un regard en retour du sien, elle détourna leur force à son petit profit.

Les chevaux ne sont pas des animaux très intelligents, mais ce sont de formidables médiums. Avancez-vous vers eux avec peur, ils capteront[1] votre peur, en joueront et vous la rendront sous forme d'une terreur compacte et souvent définitive. Venez à eux énervé, ils vous donneront des leçons de nervosité. À la façon que vous avez de poser le tapis de selle sur leur dos, ils savent quel cavalier vous êtes. Le poids de votre pied gauche dans l'étrier vous trahit. Le premier ordre que vous leur donnez peut vous valoir une heure d'enfer.

La gamme de leurs mauvaises humeurs est large et subtile, depuis la ruade brutale qui vous laisse à terre pour le compte, jusqu'à l'indifférence absolue qui transformera votre promenade en un interminable pique-nique. Insensible à vos injonctions[2], votre monture (?) broutera l'herbe des fossés, arrachera les jeunes feuilles des branches basses, sortira du chemin pour un pissenlit et ne consentira à prendre le trot qu'au retour, en vue de l'écurie et de sa mangeoire. Vous devrez alors soigneusement baisser la tête pour ne pas vous heurter à la poutre du box, car elle ne vous laissera même pas le temps de descendre.

---

1. Comprendront.

2. Ordres.

Elle vous aura trimbalé pendant une heure et se foutra de vous avec
30 tout le mépris que suscite l'incompétence. Lorsque vous reviendrez, un mois plus tard, après avoir guéri vos bleus aux fesses et refait le plein d'énergie, elle vous reconnaîtra à la façon que vous aurez de poser sur son dos le tapis de selle et vous resservira la même tisane.

Les chevaux sont gros et forts. Ils peuvent vous casser en deux sans
35 qu'aucune lueur n'allume leurs yeux paisibles, ils peuvent vous mordre, vous botter[3], vous vider[4]. La force est de leur côté.

3. Donner un coup de sabot.

4. Faire tomber.

La mémoire aussi est de leur côté : les hommes sont la grande affaire de leur destin alors que depuis longtemps, les chevaux ont cessé d'être la grande affaire du destin des hommes.

40 Puisqu'ils sont devenus votre luxe, vous leur devez le raffinement. Le dialogue avec eux se doit d'être impeccable et la perfection de l'obéissance ne tient qu'à la perfection de l'ordre. Jusqu'à ce moment béni du dressage où l'on ne sait plus qui du cavalier ou de son cheval enseigne quoi à qui. Ensemble, ils cherchent.

45 Il y a dans tout cela de l'apprentissage, de la patience, de l'art équestre, mais il y a aussi de la manière, de l'humeur.

Charlotte resta dans l'écurie des heures sans autre bonheur que celui d'être là.

La jument Paloma, puisqu'elle avait reçu de cette minime petite fille
50 tout ce qu'elle avait à donner, ne put faire moins que de donner tout ce qu'elle avait.

Dans ce moment gracieux où le désir fait céder la peur, on hissa Charlotte sur son dos, qui prit une belle poignée de crins et elles partirent toutes les deux pour une promenade peut-être interminable (elles
55 seules peuvent aujourd'hui en imaginer le terme).

Tout ce que Paloma, en bon médium, recevait du monde, elle l'offrit à Charlotte : l'air qui lui entrait par les narines aussi bien que ce qui lui remontait par les pattes ; l'odeur des pins, les frissons du printemps, le moelleux des prés verts, la douceur d'un galop dans la petite côte
60 sableuse, le plaisir d'enfoncer les boulets et les paturons dans l'eau fraîche du gué, les étincelles des fers sur les silex du chemin. Elle la jeta deux fois dans l'herbe pour lui apprendre à respecter ce qui en elle était encore sauvage et, en échange, modifiait légèrement ses trajectoires[5] dans les forêts pour qu'elle ne heurte pas du genou l'écorce des
65 troncs.

Elle avait décidé que Charlotte serait une cavalière et que c'est d'elle qu'elle apprendrait les rudiments[6] du sexe du monde.

Paul FOURNEL, « Le gué », in *Les Athlètes dans leur tête*, éd. du Seuil, 1994.

---

5. Déplacements, courses. **6.** Éléments fondamentaux.

Repérer

L'intervention du narrateur

1. Dans ce texte, la narration est entrecoupée par l'intervention du narrateur. Délimitez ces différentes parties en notant les numéros de lignes.
2. Quels sont les temps des verbes les plus fréquemment employés dans chacune des parties ? Justifiez leur valeur.
3. Dans les lignes 9-11, relevez les pronoms personnels employés. À qui s'adresse le narrateur ?

Le lexique

4. Relevez les mots ou expressions appartenant au champ lexical du cheval et de l'équitation et, s'il y a lieu, cherchez leur définition. Sont-ils nombreux ? Comment sont-ils répartis dans le texte ? Qu'en déduisez-vous sur les connaissances du narrateur en matière d'équitation ?
5. Donnez le sens des mots « équestre » (l. 45) et « médium » (l. 13). Quelle est l'étymologie de chacun de ces mots ? Comment en éclaire-t-elle le sens ?
6. Qu'est-ce qu'un « gué » ?

Comprendre le texte

Une complicité

7. Pour quelles raisons les chevaux acceptent-ils Charlotte (l. 1-11) ? Quels mots indiquent qu'il existe déjà un échange entre la petite fille et les animaux ?
8. Quelles sont, selon le narrateur, les qualités des chevaux ? Pourquoi sont-ils de « formidables médiums » (l. 13) ? Qui commande, du cheval ou du cavalier malhabile ?
9. Quels sont les devoirs de l'homme envers les chevaux ? Dans quelles phrases le narrateur décrit-il la parfaite harmonie qui peut régner entre la monture et le cavalier ?
10. Que reçoit la jument Paloma de Charlotte ? Qu'a-t-elle à lui donner en échange ? Lorsque Charlotte est sur le dos de la jument, laquelle des deux prend des décisions ?
11. Quel sens symbolique peut prendre le mot « gué » ? Expliquez le titre de la nouvelle.

Étudier un genre : la nouvelle

L'implication du lecteur

12. Le narrateur utilise des moyens pour que le lecteur se sente concerné : adresse au lecteur, ton familier, pointe d'humour. Illustrez chacuns de ces moyens par un exemple.

13. Le discours général du narrateur sur les chevaux vous semble-t-il nécessaire à la compréhension de l'histoire de Charlotte ? Justifiez votre réponse.

S'exprimer

14. En utilisant chacun des huit mots de la liste suivante : *alezan, amazone, box, encolure, jambes, monter, pur-sang, trotter*, rédigez une brève histoire cohérente.

15. Sans doute, vous est-il déjà arrivé un jour où vous aviez de la peine, ou bien un jour où vous aviez peur, de chercher un réconfort auprès d'un chien, d'un chat... Racontez ce que vous avez alors ressenti en insistant sur la nécessité de cette compagnie animale.

Débattre : entrer dans le monde des adultes

16. Pensez-vous que la présence d'un animal familier puisse aider un enfant à affronter le monde ?

Se documenter

Animaux réels et animaux imaginaires

17. Quelle sorte d'animaux voit-on dans les zoos ? Où ont-ils été capturés ? Comment vivent-ils ? Sous forme d'exposé, présentez un zoo que vous connaissez.

18. Dans les livres de mythologie, on peut trouver des bêtes encore plus étranges : des dragons, des sirènes... Présentez-en quelques-unes à vos camarades.

19. Avez-vous entendu parler des « cerfs célestes », des « lièvres lunaires », des « singes d'encre », des « crocotes », des « leucrocotes » ? En vous appuyant sur leurs noms, proposez une définition de ces bêtes.

Dessiner

20. À l'aide de crayons ou grâce à un collage, dessinez l'étrange animal rêvé par J. L. Borges dans le texte suivant.

Le squonk

Le domaine du squonk *est très limité. En dehors de la Pennsylvanie, peu de gens ont entendu parler de lui, bien qu'on dise qu'il soit assez commun dans les champs de ciguë de cet État. Le* squonk *est très sauvage ; généralement il voyage à l'heure du crépuscule. Sa peau, qui est couverte de verrues et de grains de beauté, ne lui sied pas bien ; les connaisseurs les plus avertis déclarent qu'il est le plus malheureux de tous les animaux. Suivre sa piste est facile, car il pleure continuellement et il laisse une trace de larmes. Quand on le traque et qu'il ne peut pas fuir ou quand on le surprend et qu'on lui fait peur, il fond en larmes. Les chasseurs de* squonks *ont plus de succès les nuits de froid et de lune, alors que les larmes tombent lentement et que l'animal n'aime pas bouger ; ses pleurs s'entendent sous les branches des obscurs arbustes de ciguë.*

J. L. Borges, *Manuel de zoologie fantastique*, éd. Christian Bourgois, 1981.

TEXTE 5

Le chineur de merveilles

La première fois qu'il entra dans le café « La Croix des Vents » situé à l'angle de la rue du Noroît et de celle de Tramontane, nul ne lui prêta attention.

Tout le quartier était ainsi doté de jolis noms de vents, de fleurs, 5 d'arbres et d'oiseaux pour tenter d'insuffler un peu de beauté à un ensemble architectural qui en était lamentablement dépourvu. Mais la joliesse des mots n'exerçait aucune magie et ne transfigurait rien ; ces appellations empreintes de poésie soulignaient même avec insolence la désolante banalité et l'atonie[1] du lieu. Il poussait bien plus d'antennes 10 paraboliques que de plantes aux fenêtres, bien plus de voitures que de marronniers ou de platanes le long des trottoirs, et aucun chant d'oiseau ne s'élevait en contrepoint des brouhahas de sonos en tous genres, des klaxons furibonds et des vrombissements de Mobylettes. Rue des Alizés, du Zéphyr, du Mistral, rue des Fauvettes, des Cèdres ou des Myosotis, 15 – autant de vocables vides et dérisoires, de promesses non tenues, voire d'impostures. La faune et la flore n'étaient ici que suggérées, les vents et leurs élans, leurs fragrances[2], leurs bruissements, purement nominatifs[3]. La vie était latente[4], et la beauté virtuelle[5].

Aussi les habitants du quartier avaient-ils fini pour la plupart par se 20 mettre à ce morne diapason[6], leurs regards s'émoussant au ras des murs, entre béton, bitume et néons, et leurs pensées s'effilochant à travers fatigues, désœuvrement et soucis divers qui ne contrebalançaient que des rêves à deux sous inspirés par les publicités et la télévision si prodigues[7] en leurres[8] et boniments[9].

1. Manque d'énergie, mollesse.
2. Odeurs agréables.
3. Seulement nommés.
4. Qui ne s'était pas encore manifestée.
5. Qui est possible mais ne s'est pas réalisée.
6. Ton, niveau.
7. Généreuses.
8. Pièges, tromperies.
9. Mensonges.

Ce n'était pas une cité de misère, non. Juste un quartier sans passé, dénué de charme, de fantaisie, d'animation. On l'avait planté là, à la hâte, une vingtaine d'années plus tôt, à la périphérie d'une petite ville elle-même fort assoupie. Un quartier résidentiel en toc, fleurant l'ennui et la fadeur.

Le petit homme chétif, aux cheveux d'un blanc jaune, clairsemés et tombant sur le col élimé d'un pardessus crasseux, affublé de lunettes dont une branche était rafistolée avec du sparadrap, était donc passé inaperçu lors de sa première visite au café « La Croix des Vents ». Le malheur fut qu'il y revint, jour après jour. Et sa présence se fit indésirable.

Pourtant il avait un doux sourire, un air humble et rêveur, et commandait toujours avec beaucoup de politesse sa boisson, la même à chaque fois. Un verre de lait chaud. Mais, s'il ne tarda pas à déplaire, c'était à cause de cette touche de misère qu'il apportait, de par son âge et son allure de gueux, dans ce café qui se voulait un bar moderne, bien équipé en flippers et juke-box, et que fréquentaient surtout les jeunes du quartier qui venaient y tuer leur ennui en brutalisant les machines d'où ils faisaient jaillir, à force de coups de poing, de pied et de gueulantes, des maelströms[10] de clignotements et de bruitages.

10. Tourbillons.

45 Ce bistrot était leur territoire et ils estimaient qu'un vieux délabré n'avait pas sa place parmi eux. Il leur apparaissait comme une verrue surgie de l'indigence[11], qu'ils redoutaient, sécrétée par la vieillesse, qu'ils avaient en dégoût.

Et si encore le vieux s'était tenu à l'écart, ils l'auraient ignoré, mais 50 il s'obstinait à venir prendre place tout près d'eux, du côté des flippers où ils s'agglutinaient. Au début ils se contentèrent de le lorgner en biais, avec hauteur, puis ce furent des regards franchement agacés et bientôt des blagues injurieuses.

Le vieil homme ne réagissait pas à ces insultes, il ne semblait même 55 pas s'apercevoir de l'hostilité ambiante. Il demeurait assis à sa table, dans le coin enfumé et bruyant, sirotant pendant des heures son sempiternel[12] verre de lait, un sourire un peu niais flottant en permanence sur son visage mal rasé, et laissant errer un regard mi-curieux mi-rêveur sur l'assemblée qui s'agitait autour de lui. Et c'étaient ce sourire, ce 60 regard, qui les mettaient mal à l'aise, ils se sentaient épiés, jaugés[13]. Certains se mirent à l'apostropher d'un ton brutal, grossier, mais le vieux ne se départit nullement de sa placidité[14]. Ils y virent un défi et, un après-midi, l'un des jeunes, sous l'œil goguenard de ses camarades, vint se planter devant sa table qu'il bouscula d'un coup de genou, fai- 65 sant tomber le verre qui se brisa sur le sol.

– Il faut pas picoler autant de lait, s'exclama le provocateur, ça bourre la gueule ! Ça fait même valdinguer les verres !

Les autres s'esclaffèrent ; le vieil homme se contenta de contempler la flaque qui s'éployait sur le sol, à ses pieds, puis, relevant son visage 70 nimbé[15] d'un imperturbable sourire, il dit d'une voix grêle :

– C'est beau, on dirait un nénuphar...

Les rires tournèrent court, ou du moins sonnèrent soudain un peu faux. La réaction si paisible du vieux déconcertait ses agresseurs. L'un porta son index à son front pour signifier que le bonhomme devait être 75 gâteux et ajouta, pour relancer l'ambiance :

– À force de siffler du lait il a surtout les méninges en yaourt !

---

11. La pauvreté. **12.** Continuel. **13.** Jugés. **14.** Son calme. **15.** Entouré d'une auréole.

Les rires reprirent, mais le serveur arriva, la mine rogue[16], une balayette et une pelle à la main; lui non plus n'aimait guère ce client fauché qui ne renouvelait jamais sa consommation et avait la fâcheuse
80 manie de payer en menue monnaie, par poignée de piécettes jaunes qu'il extirpait gauchement de sa poche et égrenait[17] sur la table au milieu des gouttes de lait qu'il renversait toujours car ses mains tremblaient. Tout en nettoyant, il s'en prit au vieux; sa mauvaise humeur raviva l'animosité du groupe.

85 – Tu pourrais pas balayer aussi ce croulant, suggéra l'un des jeunes, et le renvoyer à son hospice?

– C'est vrai, ajouta un autre, il nous bouffe l'air!

Le serveur s'éloigna en râlant, livrant le vieux à ses railleurs dont les sarcasmes redoublèrent; ils s'échauffaient les uns les autres, cherchant
90 à provoquer une réaction de panique chez leur pitoyable victime, une belle trouille de pleutre[18], pour s'en amuser. Mais une fois encore le vieil homme les décontenança. Il promena sur eux son regard triste, son sourire pâle, et dit:

– Je m'en vais, puisque aucun d'entre vous ne semble disposé à deve-
95 nir mon légataire.

Les garçons se regardèrent rapidement en haussant les sourcils, incertains du sens de ce dernier mot.

– Ah ouais, risqua l'un d'eux d'un air faussement entendu, et pour faire quoi, au juste?

100 – Un légataire, répéta doucement le vieux, pour lui faire don de mon seul bien.

Ce fut une explosion de rires.

– Dis donc, c'est la mitraille[19] qui remplit tes poches que tu veux nous refiler, ou ton manteau pourri?

105 – Il planque peut-être un magot sous sa paillasse? suggéra un autre.

– Je n'ai ni magot ni paillasse, répondit l'homme en se levant avec lenteur.

– Alors, c'est quoi ton bien? cria l'un des garçons malgré tout un peu intrigué et curieux.

16. Méprisant, arrogant. **17.** Faisait entendre un à un. **18.** Peureux. **19.** Menue monnaie.

Mais la réponse qu'il reçut coupa net son excitation.

– La joie. C'est cela que je voulais léguer. Ma joie du monde.

– Bon, ça suffit les bouffonneries, répliqua le garçon dépité, maintenant dégage et fous-nous la paix.

Le vieux quitta le café sous les ricanements et s'éloigna à petits pas le long des rues des vents.

Il marchait si lentement qu'il fut aisé à celui qui était sorti peu de temps après lui de le retrouver. Mais le garçon qui venait de s'éclipser du bistrot pour le pister hésita un moment avant de l'accoster. Lui aussi, au début, s'était joint au chœur des insultants, comme ça, par désœuvrement, par osmose[20] avec le groupe ; et puis il est vrai que l'intrusion de ce vieillard dans leur territoire déjà si réduit l'avait lui aussi agacé. Mais lorsque l'étrange bonhomme avait répondu qu'il ne voulait que léguer sa joie du monde, seul l'étonnement l'avait envahi, comme une buée soudain déposée sur son front, ses paupières. Le brouhaha autour de lui était devenu confus, lointain, il s'était senti subitement un étranger parmi ses camarades. Il avait bien essayé de se remettre à plaisanter, à fanfaronner, mais le cœur n'y était plus. Une question l'obsédait : qu'avait donc voulu dire le vieux qui s'exprimait si bizarrement ? Peut-être n'était-il qu'un cinglé, un pauvre illuminé, tant pis, il ne risquait rien à aller l'interroger à l'insu des autres[21]. Une chose au moins semblait sûre, le vieux était inoffensif.

Mais voilà qu'à présent ce petit homme qui trottinait devant lui l'intimidait ; il ne savait comment l'aborder. Il s'en voulait de s'être ainsi lancé à ses trousses ; il se trouva même assez ridicule. Il continua cependant à avancer, comme mû par une force qui lui était extérieure. La curiosité, se dit-il pour se persuader qu'il était parfaitement maître de lui-même et plein de désinvolture.

Le vieil homme s'arrêta soudain, pivota et rebroussa chemin. Il se planta au bord du trottoir, se pencha légèrement en avant et inspecta la chaussée. Le garçon parvint ainsi à sa hauteur et trouva tout naturellement un prétexte pour lui adresser la parole.

– Vous avez perdu quelque chose ?

---

20. Influence réciproque.

21. Sans que les autres le sachent.

olivetti

L'autre tourna vers lui son visage.

– Non, j'admirais juste cette tache d'huile, là, sur l'asphalte.

145 Puis, se penchant de nouveau vers le sol, il s'élança dans un singulier discours ; il décrivit les couleurs de la flaque, en détailla les irisations, parla de fleur volatile[22], d'arc-en-ciel, et dériva même vers des évocations d'aurore boréale.

Enfin il se tut, ou plutôt laissa ses derniers mots poudroyer[23] dans le 150 silence, puis il releva le visage et posa son regard sur le jeune homme qui l'avait écouté. Celui-ci se sentit rougir – il avait ri avec les autres tout à l'heure au café, ri des mauvaises blagues lancées contre le vieux, et ce dernier devait le reconnaître. Mais le vieil homme ne manifesta ni méfiance ni rancœur, son expression était empreinte de douceur, 155 d'attention, de patience ; devant le trouble du garçon, il reprit la parole :

– Eh oui, à chacun sa façon de chiner, vous, en vous moquant, moi, en cherchant partout de menues traces de beauté. Je suis un chineur de merveilles...

Il s'interrompit un instant, le temps de sourire, puis ajouta :

160 – Un dénicheur de minuscules et fugaces[24] merveilles. Il y en a tant, éparpillées ici et là, jusque dans les caniveaux... Tout est question de regard, de perspective.

Le garçon voulut s'excuser mais il ne sut que bredouiller et rougir davantage. L'autre lui effleura l'épaule d'un geste et dit :

165 – Allons, ce n'est rien ! Juste un malentendu entre vous autres et moi, entre chacun et les autres, entre chacun et le monde... Au fond, nous sommes tous plus ou moins des malentendants, des malvoyants... C'est long d'apprendre à voir, à écouter...

Il retira sa main, releva un peu la tête, huma l'air et sourit à nouveau.

170 – Une belle journée ! Regardez cette trouée de bleu, là-bas...

Il pointa son index vers le ciel, par-dessus les toits, les tours qui barraient l'horizon d'un long trait crénelé. Dans le gris morne, étale, du ciel couvert s'ouvrait en effet une percée d'un bleu intense, teintée de violet.

175 – Bleu indigo, précisa le vieil homme toujours le nez en l'air. Il y a

22. Qui n'a pas de consistance. **23.** Se disperser. **24.** De *fugere* : fuir, qui ne dure pas.

des gens dont les yeux prennent cette couleur parfois, dans l'allégresse, ou bien aussi dans la colère...

Il ne semblait jamais finir ses phrases qui restaient en suspens, comme en attente d'un nouveau souffle. Sa main retomba lentement, elle était 180 maigre et tavelée[25], elle évoqua au jeune homme la chute d'une feuille morte que berce un moment le vent avant de la déposer sur le sol ; c'était la même légèreté, la même fragilité, comme un adieu si plein de grâce qu'il paraît une caresse au vide, à l'absence, un consentement au temps qui passe.

185 – Oui, une belle journée... répéta le vieil homme.

Il salua le garçon d'un petit signe de tête et s'éloigna.

Et l'autre demeura longtemps sur le trottoir à regarder s'en aller le chineur de merveilles infimes, puis à contempler la trouée de bleu violacé dans le ciel, cette échappée de lumière dense pareille à un œil 190 s'ouvrant, immense et souverain, sur l'étendue des choses. Un œil éclairant la beauté insoupçonnée des plus simples choses. Il ne suivit pas le vieil homme, il n'éprouvait plus le besoin de repartir à sa recherche, de lui poser des questions. Il se sentait apaisé, étrangement apaisé au cœur même d'un grand trouble. Un fragment de bleu s'était glissé sous ses 195 paupières, un éclat de lumière et de vent luisait au fond de ses pensées, et l'espace alentour en était transformé, comme devenu plus ample, plus mouvant, irradié[26] de discrète splendeur. Cette sensation ne dura guère, mais son souvenir demeura prégnant[27], se fit écho ténu, vivace, se relançant à travers tout le corps. Et cela suffisait. Et puis, il y a des legs qui 200 ne s'acquièrent qu'au fil du temps, jour après jour, et le garçon, à défaut de pouvoir nommer ce qui venait de se passer en lui – cette intrusion de calme et de silence en lui, ce remuement de lumière et d'étonnement en son esprit –, ne doutait pas de rencontrer à nouveau sur son chemin, au détour d'une rue, le vieux chineur au sourire de ravi[28], au 205 regard enfantin, aux mots si simples et déroutants. Il se fiait au hasard, à l'imprévu, dont il venait de découvrir la prodigalité[29].

Sylvie GERMAIN, « Le chineur de merveilles », in *Pour Sol en Si*,
éd. Gallimard, coll. « Pages blanches », 1997.

---

25. Tachée. **26.** Rayonnant. **27.** Présent. **28.** Ici, personne simple. **29.** Générosité.

Repérer

Le titre et la composition

1. Qu'est-ce qu'un « chineur » ? Trouvez un synonyme. Ce titre vous surprend-il ? À quoi vous attendiez-vous ?
2. Dégagez les grandes parties de cette histoire et donnez un titre à chacune d'elles.

Les lieux

3. a. Relevez les noms de lieux (l. 1-18). Qu'évoquent-ils ?
b. Par quels mots ou expressions le quartier est-il caractérisé ? En quoi ces noms de rues sont-ils une « imposture » ? (Recherchez la signification de ce mot dans le dictionnaire.)
4. Quel est le champ lexical dominant dans les lignes 19 à 24 ? Quelle impression s'en dégage ?

Les personnages

5. Relevez tous les noms ou groupes nominaux qui désignent le chineur (l. 30-48). Quelle impression se dégage de ce relevé ?
6. Quels autres personnages apparaissent dans la nouvelle ?
7. Relevez les oppositions de langage entre les différents personnages. Citez des exemples.
8. Que signifie le mot « légataire » (l. 95) ? Par quels mots de la même famille est-il repris aux lignes 111 et 199 ?

Comprendre le texte

Le vieil homme

9. Physiquement et moralement, le vieil homme est-il à l'image du quartier ? Justifiez votre réponse en citant le texte.
10. Quelle est l'attitude du vieil homme dans le bar ? Dans quelle mesure contraste-t-elle avec celle des jeunes gens ?
11. Pour quelles raisons sa présence est-elle indésirable aux jeunes gens ?
12. a. Quel sens donnez-vous au mot « merveilles » habituellement ?
b. Quel sens a ce mot dans le texte ? Justifiez son emploi.
13. Quelle est la première « merveille » chinée par le vieil homme ? Quelles réactions provoque-t-elle ?

14. a. Relevez, dans la suite du texte, les deux autres « merveilles » trouvées par le vieil homme. **b.** Quelles transformations les éléments subissent-ils dans son esprit ? **c.** À quelle figure de style s'apparente cette transformation ?

Le jeune homme

15. Quelles sont, à votre avis, les motivations du jeune homme qui suit le chineur et l'aborde (l. 116-158) ? Justifiez votre réponse.
16. Quel changement s'opère en lui au contact du vieil homme (l. 187-206) ?

Débattre : entrer dans le monde des adultes

17. Un adulte vous a ouvert un jour un pan du monde. Dans quelles circonstances ? Quelle découverte avez-vous faite ?
18. Pensez-vous qu'il est bon que des personnes d'âges différents se rencontrent, ou bien estimez-vous qu'il vaut mieux fréquenter uniquement des personnes du même âge ? Vous organiserez votre réflexion dans un développement construit.

Créer

19. À vous de devenir un(e) chineur(se) de merveilles. À propos d'une antenne parabolique, d'une voiture, d'un néon, d'une tour HLM, dites : « C'est beau, on dirait un(e)... »

Enquêter

La carte de France des vents

20. Le café, dans la nouvelle, se nomme « La Croix des Vents ». Relevez, dans les lignes 1 à 18, les mots qui désignent des vents et précisez pour chacun sa caractéristique. En vous documentant, essayez d'établir une carte de France des vents.

Les noms des rues

21. Établissez la liste des noms des rues du quartier où vous habitez. S'agit-il de noms propres ou de noms communs ? Cherchez respectivement l'identité des personnages ou le sens des objets auxquels ils font référence. Ont-ils un point commun et si oui, lequel ?

TEXTE 6

La vierge et l'enfant

Il fait nuit noire. Les lumières de la ville ou les clairières de la campagne ne peuvent la blanchir, c'est une nuit de cave, de puits ou de chevelure folle.

La nuit tourne autour de l'ampoule nue. Quand les obus éclatent, la lumière s'emballe, la nuit s'affole... La terre du plafond tremble, l'ampoule court dans tous les sens, se cogne aux murs, plonge dans les plâtras, s'enfonce dans les yeux...

Cela pourrait se passer dans une église, une mosquée, un hôpital ou même un train, puisqu'ils ont bombardé les clochers, les minarets... Cela se passe dans une cave. Aux premières détonations, les femmes ont pris leurs enfants et se sont terrées. Maintenant, elles ne paniquent plus. Elles ont pris l'habitude de ce trou noir au milieu de leurs nuits, et elles ne pensent qu'à bien faire, à ne pas perdre de temps, à emporter des couvertures, de l'eau, du pain. Même les enfants semblent avoir compris, ils ne pleurent plus.

Cela pourrait se passer n'importe où dans la ville. La boue du fleuve charrie des pleurs et noie des cadavres. Les grands hommes des jardins publics sont en ruine : les obus ont équarri[1] leurs chevaux de pierre. Les carrefours sont des champs de bataille, et les pâtés de maisons des villages de gravats. Cela se passe dans la chevelure de la mère. Le plus jeune de ses enfants y est enfoui. Les yeux grands ouverts, il attend. Parce qu'elle ne connaît pas d'endroit plus sûr, et qu'elle ne peut le ramener dans son ventre, la mère le garde là, dans sa sombre toison, et elle le croit autant à l'abri que si elle l'avait caché dans la frondaison[2] d'un grand arbre.

1. Rendre carré, tailler à angles droits (du marbre, des troncs d'arbres), couper en quartiers un animal mort.

2. Le feuillage d'un arbre.

Il n'y a que des vieillards, des femmes, des enfants. Les heures passant, la plupart se sont endormis, sur la toile des sacs, contre les murs, ou bien debout, dans leur ombre. La mère est pendue au fil électrique. L'enfant dans sa chevelure se tait. Ses yeux immensément ouverts semblent seuls tenir l'ampoule allumée. Du fond de la cave, ses yeux maintiennent le rai de lumière sous la porte. Du fond du puits, ils retiennent l'étoile au-dessus de la margelle...

Les corps remuent. Parfois une chaussure fouille la terre, une poitrine tousse, des lèvres sucent un mamelon. Personne ne parle. Il y a
35 bien des murmures au bord des lèvres... Des prières ? Un morceau de pain sous la dent ? Des berceuses, des insultes ? La bouche de l'enfant tète la lumière de l'ampoule.

La mère a oublié le poids de son enfant, il est comme un bout d'elle-même, une proéminence naturelle de sa chair. Une chaleur sur sa
40 nuque, un souffle dans ses cheveux. Un spasme dans son ventre. Et quand un obus déchire la rue, au-dessus de leurs têtes, que des morceaux du plafond tombent, tout en dormant elle serre l'enfant plus fort encore, cherchant à le faire entrer en elle, à l'ensevelir sous sa peau.

Sur les berges du fleuve, elle a connu des étés, il y a longtemps. Le
45 refrain des chansons a narré ses amours de jeune fille. Sa tête a tourné comme ses jupons, et sous ses jupons le ciel a chaviré. [...] À l'automne, les statues équestres des squares ont surpris des baisers, des promesses... Ces mêmes squares où maintenant les hommes coupent les arbres et font du feu, où des garçons en haillons[3] chevauchent les décombres
50 d'un étalon, escaladent les débris d'un homme illustre.

L'enfant n'a pas dormi. Muet, immobile, l'ampoule folle au fond des yeux, il a attendu que le noir de la nuit disparaisse, que les obus cessent d'éclater dans ses orbites, et la terre de trembler dans sa poitrine. Longtemps il a attendu que la cendre blanche du plafond cesse de salir
55 la chaude chevelure.

La mère s'est mise à crier. Irritées, les femmes se sont tournées vers elle. Se taire est leur seul courage, leur unique orgueil. Elles craignent que leurs enfants se mettent à pleurer, sans doute aussi ont-elles peur d'elles-mêmes, de leurs sanglots qui remontent... Mais la mère ne les
60 voit pas, ne sent pas leurs reproches, ce n'est plus une femme, à peine un être humain, c'est une douleur vivante, une mère. Elle tient l'enfant au bout de ses bras tendus, tordus, et elle hurle. L'enfant la regarde de ses grands yeux vides. Elle le tient au bout... comme une chair arrachée à son corps. L'enfant ne saigne pas. Il ne lui manque ni bras ni

3. Vieux vêtements, guenilles, loques.

65 jambe. Mais ses cheveux portent la fin du monde ! La mère hurle, tourne sur elle à une vitesse insensée, fait trembler le sol, fuir la lumière, chavirer le plafond ! Sa chevelure folle s'enroule autour de l'ampoule, affole le jour...

L'enfant rit, avec sa tête d'enfant et ses cheveux de vieux.

Didier GOUPIL, *Maleterre*, éd. Alfil, 1995.

Repérer

Les lieux et le temps

1. Relevez les éléments du texte qui permettent de définir où et quand se passe l'action. Ces éléments sont-ils précis ? Justifiez votre réponse.

La situation

2. Quel est le champ lexical dominant dans les lignes 8 à 15 ? dans les lignes 16 à 20 ? Qu'en déduisez-vous sur la situation décrite dans la nouvelle ?

Les personnages

3. Quels sont les personnages sur lesquels s'attarde le narrateur ? Par quelle dénomination sont-ils présentés (nom, prénom, autre dénomination) ?

4. Relevez tous les mots qui désignent des personnages. Qu'indiquent-ils ? Par quelles autres expressions le narrateur marque-t-il l'anonymat des personnages ?

La métaphore

> La *métaphore* établit une comparaison entre deux objets sans que ce lien de comparaison ne soit grammaticalement marqué (par *comme*, *ainsi que*, etc.).

5. « C'est une nuit de cave, de puits ou de chevelure folle » (l. 2-3). Cette phrase est composée d'une suite de métaphores. Quelles images représentent-elles ? Relevez d'autres métaphores dans le texte dont vous expliquerez la construction.

Le temps des verbes

6. Quels sont le temps et le mode du verbe « pourrait » (l. 8 et 16) ? Quelle est la valeur de ce temps ?

Comprendre le texte

La guerre

7. « Cela pourrait se passer dans une église, une mosquée » (l. 8). À quelle religion renvoient respectivement ces deux termes ?

8. À votre avis, l'auteur fait-il allusion à une guerre précise ou à une guerre qui affecterait n'importe quel pays du monde ?

L'enfant dans la guerre

9. À quel objet l'enfant est-il systématiquement associé (l. 26-32 et 51-55) ? Relevez chacun de ces rapprochements. Que signifient-ils, à votre avis ? Quel pouvoir l'auteur semble-t-il donc accorder à l'enfance ?

10. La mère et l'enfant finissent par ne plus faire qu'un seul être. Quel type de phrase traduit ce rapprochement ? Quel est l'effet obtenu ?

11. À quel moment précis la mère et le fils se séparent-ils ? Pourquoi ? De quoi s'aperçoit la mère ?

S'exprimer

12. Tout un quartier d'une ville vient d'être bombardé. Dans un récit d'une trentaine de lignes, vous décrirez l'état des lieux, l'attitude des habitants, l'arrivée des premiers secours, la solidarité.

13. Vous allez subir une opération chirurgicale et, dans la voiture qui vous emmène à l'hôpital, vous exposez vos inquiétudes à votre mère qui vous rassure de son mieux. Racontez cet épisode dans un dialogue d'une trentaine de lignes.

Débattre : entrer dans le monde des adultes

14. Comment comprenez-vous l'expression « ses cheveux de vieux » (l. 69) ? Quel message, selon vous, la nouvelle délivre-t-elle ?

Se documenter

Les représentations de la Vierge à l'Enfant

15. Recherchez une reproduction d'une Vierge à l'Enfant des peintres Raphaël ou Botticelli. Vous la présenterez à la classe en faisant une description détaillée (personnages, composition, paysages, etc.).

16. Dans le vocabulaire de l'art, qu'est-ce qu'une « Pieta » ? Qu'est-ce qu'une « nativité » ?

TEXTE 7

Hello, le soleil brille, brille, brille !

Elle avait seize ans. Ils étaient à table tous les quatre. À sa gauche, son petit frère construisait un château avec sa purée. Sa mère découpait sa côtelette d'un air absent. Le père leur racontait ses histoires de guerre.

5 Cette guerre, si lointaine, si ancienne, bien antérieure à sa naissance, s'était déroulée dans un autre pays : son pays à lui.

Il s'agissait toujours des mêmes récits qu'elle connaissait déjà. Des heures durant, il avait fallu les écouter sans broncher. Son père semblait obsédé par le besoin de se vider le cœur, de se prouver qu'il avait 10 eu raison, que le reste du monde s'était trompé, n'avait rien compris.

Elle avait déjeuné avec les souvenirs de guerre et dîné avec eux. Encore et encore et encore...

Cette semaine-là, le professeur d'histoire leur avait parlé de cette guerre, il avait décrit les horreurs commises par les gens pourtant civi- 15 lisés. La patrie de la musique et de la philosophie avait abrité ce que l'humanité avait accompli de plus odieux.

Pour la première fois, elle avait pris conscience que son père s'était trouvé dans le mauvais camp. Elle avait eu envie d'interrompre le cours, de crier : « Attendez, vous n'avez rien compris, ce n'était pas comme 20 ça ! » Car, elle aussi, après toutes ces années, était devenue un peu spécialiste. Mais elle s'était tue. Elle avait craint de se dévoiler et redoutait la réaction de ses camarades de classe. Pour elle, ce fut une expérience étrange d'entendre cette autre version. Douleur d'un monde qui bascule... Un brouillard se lève et dévoile d'un coup un paysage nou- 25 veau de l'existence. C'était un paysage sombre, grotesque, inquiétant, hors nature, qui flottait sur un vide, en tout cas, qui avoisinait des précipices. Une blessure qui s'ouvre. Une irrépressible envie de vomir, un goût de mensonge dans la bouche.

Qui était l'homme à qui elle devait la vie ? Est-ce que lui aussi avait... ? 30 Non, cette pensée lui était insupportable. Mais connaît-on vraiment ceux qui vous élèvent ? Une lutte s'engageait désormais entre tout son amour pour son père et autre chose. Le doute ? La réprobation[1] ? Comment nommer ce sentiment né de la découverte que son père n'était pas cet être irréprochable et parfait qu'elle avait imaginé.

35 Dans son esprit, au mot guerre, il s'était creusé une tranchée qui la séparait de lui : elle avait rejoint le maquis, elle était entrée en résistance.

Son père essayait de leur décrire la couleur de l'uniforme allemand :

– Il était du même vert que celui des rideaux. Vous voyez, là, au centre des feuilles !

40 Elle avait regardé les rideaux fleuris et s'était exclamé :

– Tiens, les Allemands portaient un uniforme à fleurs !

Maintenant qu'elle savait, elle était incapable de l'entendre ajouter un mot de plus sur cette fichue guerre. Elle protégeait sa blessure. Vite, faire diversion[2]. Changer de sujet. Et puis, ça l'amusait d'imaginer un 45 uniforme fleuri, une vareuse[3] avec une rose à l'emplacement du cœur.

Bien sûr, il avait mal pris sa remarque. Il lui en fallait si peu pour réagir ! Au moindre petit aiguillon[4], il explosait. Car il était sérieux, lui. C'était un épisode important de sa vie qu'il évoquait. Il avait vu rouge. On se moquait de lui ! On se moquait de l'uniforme allemand, de l'armée 50 allemande, du IIIe Reich !

Il avait aboyé :

« Fiche le camp d'ici ! Monte dans ta chambre ! »

Dans l'escalier, elle s'était mise à chanter :

« Hello, le soleil brille, brille, brille ! »

55 L'air du film *Le pont de la rivière Kwaï*. Comme ça parce qu'elle avait trouvé la situation absurde et que chanter l'empêchait de penser. Chanter, c'était crier sa volonté de vivre, vivre dans la lumière, alors que lui, par ses récits, il la dirigeait vers le chemin de la mort.

Il l'avait rappelée en hurlant :

60 « Viens ici ! »

Le visage défiguré par la colère, il lui avait lancé :

« Ça, c'est pour t'apprendre à te moquer de moi ! »

---

1. Condamnation.
2. Changer de sujet.
3. Blouse.
4. Ce qui pique, stimulant.

La gifle avait failli la déséquilibrer. Elle l'avait fixé de ses yeux noirs, de ses yeux qui disaient ce que sa bouche n'osait prononcer :

65 « Tu te crois fort, n'est-ce pas, parce que tu me frappes, mais tu es si faible que même l'idée que l'on puisse se moquer de toi t'atteint. Tu veux me faire souffrir comme tu souffres, mais tu ne m'auras pas ! »

Son regard avait-il été trop éloquent ? Il n'avait pu le soutenir.

Elle était repartie dans l'escalier. Sans savoir pourquoi, un besoin 70 plus impérieux[5] que sa peur, plus puissant que sa raison, la poussa à reprendre son refrain. « Hello, le soleil brille, brille, brille ! » Elle savait qu'elle jouait à un jeu dangereux, qu'il la giflerait de nouveau. Elle se surprenait elle-même, mais elle était incapable de se taire, incapable de lui laisser penser qu'il avait gagné.

75 Il avait foncé sur elle pour la rattraper. Il l'avait frappée une fois de plus. Il ne supportait pas l'insolence, il ne supportait pas la provocation ! Dans le IIIe Reich, on matait les fortes têtes et lui, il en avait cassé plusieurs. Il faut commencer par casser pour que ça entre dans le moule ! Et puis, il faut que ça marche au pas, le pas des autres, le pas du plus 80 brutal !

Elle avait fini par pleurer, non pas à cause des coups, mais parce qu'elle avait compris. Oui, lui aussi, peut-être, il avait... En tout cas, il aurait pu. Quelqu'un qui réagit de cette manière, quelqu'un qui ne différencie pas sa fille d'un soldat mal dégrossi[6], quelqu'un qui voit dans 85 l'humiliation une forme d'éducation est capable du pire.

Il paraissait content de lui ; il lui avait bien enseigné la leçon : « Ne jamais s'opposer à plus puissant que soi. » Il avait prouvé qu'il demeurait le maître et qu'il ne permettrait à personne de se moquer de lui.

C'est important dans la vie de s'assurer que personne ne se moque 90 de vous ! C'est important de s'assurer – se rassurer – que l'on est le plus fort !

Elle avait monté l'escalier mâchoires et poings crispés. Seule dans sa chambre, une fois la porte close, elle s'était accroupie dans un coin. Tout bas, dans un murmure, d'une voix triomphante, elle fredonnait : 95 « Hello, le soleil brille, brille, brille ! »

---

5. Impératif, pressant.

6. Grossier, pas encore formé.

Car la guerre entre eux était déclarée, mais elle savait qu'elle serait longue et cruelle. C'est dur de se battre lorsque l'ennemi campe dans votre cœur.

Marie PAGE, *Nouvelles*, éd. Hachette Livre, coll. « Courts toujours », 1996.

Repérer

Le narrateur

1. Dans les lignes 1 à 6, relevez les pronoms personnels. À quelle personne sont-ils ? Qui est le narrateur ? Est-il un des acteurs du récit ? Justifiez votre réponse.

Les personnages

2. Quels sont les personnages cités dans le premier paragraphe ? Lesquels disparaissent et lesquels restent en scène dans la suite du texte ? Pourquoi, selon vous ?

Les circonstances

3. Relevez les indices qui permettent d'identifier la guerre dont il est question dans la nouvelle.

La structure de la nouvelle

4. Dégagez les différentes parties de cette histoire et donnez-leur un titre significatif.

Le discours rapporté

5. Repérez les dialogues dans cette nouvelle. Par quel signes typographiques sont-ils présentés ?

6. « Qui était l'homme [...] lui aussi avait... ? » (l. 29) ; « Vite, faire diversion » (l. 43-44) : Qui parle ? Pourquoi n'y a-t-il pas de tirets ou de guillemets ici ?

Comprendre le texte

Un dilemme

> Un *dilemme* est une situation où une personne, confrontée à deux exigences, est obligée de choisir.

7. Quelle prise de conscience la jeune fille fait-elle pour la première fois (l. 17-18) ? Quelle est sa réaction ? Citez le texte.

8. Quelles sont les deux questions que se pose la jeune fille à propos de son père ? Comprenez-vous qu'elle se les pose et s'en inquiète ? Justifiez votre réponse en citant le texte.

9. Quels termes, dans les lignes 51-80, marquent la brutalité du père ? Comment la jeune fille interprète-t-elle cette violence paternelle ?

10. « Oui, lui aussi, peut-être, il avait... En tout cas, il aurait pu... » (l. 82-83). À quel temps sont ces deux verbes ? Quelle nuance de sens est apportée par le passage du premier verbe au second ? Cela change-t-il quelque chose au jugement de la jeune fille ?
11. À la fin du texte, le conflit entre la jeune fille et son père semble durablement engagé. Expliquez pourquoi ce conflit est cruel.

Étudier les techniques d'écriture

L'implicite, le non-dit

Dans un texte, un événement peu rester sous-entendu, suggéré et n'être pas nommé *explicitement*. On dit alors qu'il est *implicte*.

12. a. Le texte donne-t-il des précisions sur la guerre dont il est question et sur le pays concerné ? Argumentez votre réponse. **b.** Après avoir recherché le sens du mot « périphrase », retrouvez une périphrase, dans les lignes 13 à 16, qui nomme le pays du père de la jeune fille.

La métaphore (voir définition, p. 55)

13. Recherchez, dans les lignes 35 à 58, deux métaphores qui traduisent le désarroi de la jeune fille et la rébellion qui s'installe en elle contre son père. Qu'apporte au texte l'emploi de ces figures de style ?

Étudier un genre : la nouvelle

Le point de vue du narrateur ou focalisation

On appelle *point de vue* la position que prend le narrateur par rapport au personnage et ce qu'il sait de lui. Il existe trois types de point de vue :
– *La focalisation zéro.* Le narrateur « omniscient » ne participe pas à l'histoire, mais il connaît tout de ses personnages.
– *La focalisation externe.* Le narrateur décrit ce qu'il voit, comme un témoin extérieur qui n'a pas accès aux pensées intimes des personnages. On peut comparer son regard à celui d'une caméra.
– *La focalisation interne.* Le narrateur s'identifie à un personnage et voit à travers ses yeux. Bien que le récit soit à la troisième personne, tout est vu à travers la subjectivité du personnage en question.

14. Le narrateur connaît-il toutes les pensées de son personnage ou ne rapporte-t-il que ce qu'il voit de l'extérieur ? Justifiez votre réponse en donnant des exemples. Quel est le point de vue du narrateur dans cette nouvelle ?

Se documenter

Les crimes contre l'humanité

La guerre, avec ses horreurs, avec ses malheurs, même si elle est toujours regrettable et insupportable, est une atrocité que seul le temps peut effacer. Il est, en revanche, des crimes qu'on nomme « crimes contre l'humanité » qui sont considérés comme imprescriptibles, c'est-à-dire toujours passibles de jugement et d'emprisonnement.

15. En vous documentant, essayez d'expliquer l'expression « crimes contre l'humanité » et de nommer ces crimes.

TEXTE 8

Le verger

Notre âme s'est échappée comme l'oiseau du filet des oiseleurs ; le filet s'est rompu, et nous nous sommes échappés.

Psaume 124,7.
Cantique des degrés.

Le jour décline, le vent ride l'eau boueuse des flaques. Ils grelottent longtemps sur le quai, puis ils passent devant un officier qui indique à chacun où il doit aller. L'enfant prend à gauche, avec d'autres.

Ils entrent dans une vaste baraque. Là, on leur ordonne de se déshabiller et de plier leurs vêtements. Les coups pleuvent, l'air sent fort. Avant de les pousser dehors on leur distribue de petits morceaux de savon. Dans la bousculade, l'enfant n'en a pas touché. Il revient sur ses pas. Il ose réclamer. L'homme qui distribue le savon hausse les épaules.

– Dégage !

L'enfant s'obstine. Il lui faut du savon, sinon quoi ?

– Donne-moi du savon comme aux autres !

– File, j'ai dit !

Les autres sont déjà partis. L'enfant s'affole. Il s'agrippe au bras de l'homme.

– Donne-moi du savon, je vais être en retard !

L'homme lève alors son poing libre. L'enfant recule. Cependant l'homme ne frappe pas. Il a changé d'idée. De sa besace il sort une mince plaquette blanchâtre. L'enfant tend la main, sans comprendre pourquoi l'homme broie la plaquette au creux de son poing refermé. Enfin, quand le poing s'ouvre, une poudre grossière s'écoule de la grande paume dans la petite, et l'enfant voit que ce n'est pas du savon, mais du plâtre.

– Tiens, le voilà, ton savon.

L'enfant tourne les talons et court rejoindre la colonne.

25 Ils glissent, à courir ainsi les pieds nus dans la boue. L'un d'eux, un pied-bot, sorte de bouffon de village, tombe à la renverse, se relève à demi vêtu de boue grasse, le ventre blanc et le dos noir, et voudrait encore plaisanter.

– Ce n'est rien, puisque nous allons nous laver !

30 Un coup le rejette au sol, la face en avant cette fois.

L'enfant a pu se faufiler. Ils sont à mi-chemin. Il a dû, lui si petit, courir plus vite que les autres pour les rattraper. Son cœur bat, l'air lui déchire la gorge à chaque inspiration. Il glisse, il tombe à son tour. Il tarde à se relever. Le plâtre dans sa main achève de s'émietter. Il pleur-35 niche. On crie, derrière lui. Un homme se précipite la matraque haute. L'enfant se relève enfin, il court, la colonne s'entrouvre et se referme sur lui.

Ils piétinent maintenant face au bâtiment des douches. Les deux cents premiers sont entrés. On attendra. L'enfant tremble. Ils sont 40 nus, femmes, enfants, vieillards mêlés. Il ferme les yeux, mais à chaque instant un cri tout proche, un sanglot, un frémissement de la foule les lui font rouvrir malgré lui. Et il voit la chair sous le ciel noir, chair crayeuse, chair misérable dont ricanent les soldats. Il baisse la tête. Il voit sa propre chair, ses mains posées sur son sexe, ses jambes, ses 45 pieds enfoncés jusqu'aux chevilles dans la boue, racines grêles dans la boue stérile[1].

L'attente est longue. Du fond du cœur ils appellent la nuit. Qu'elle tombe épaisse et noire. Qu'elle dérobe la nudité à l'offense. Et ils sont entendus ; la nuit s'étend sur les fronts, sur les épaules, sur les ventres. 50 Mais aussitôt des projecteurs s'allument, dont les faisceaux, comme des mains violentes, déchirent par grands pas la charité du ciel.

Et puis soudain la porte s'ouvre. Un officier lance un ordre. Les soldats brandissent à nouveau la matraque ou le fouet. Le troupeau bronche, d'abord, hésitant à franchir cette porte après en avoir tant espéré l'ouver-55 ture. Les soldats frappent. C'est la ruée. L'enfant dépassé, bousculé,

---

1. Qui ne produit rien.

approche, malgré tout de l'entrée. Cependant une ultime bourrade, à quelques mètres de la porte, le jette à découvert, à l'extérieur de la colonne. Être vu, c'est être battu. Il tente désespérément de se perdre une fois encore parmi les autres. Mais on ne songe plus qu'à soi. Des
60 bras, du flanc, des genoux, sans même s'en rendre compte, on le repousse sous les fléaux[2]. Un des gardes l'a vu et s'approche à grands pas. Alors l'enfant, avec une sorte de hululement de peur, détale droit devant, à l'opposé de la foule et des douches, vers les barbelés. De ce côté soixante mètres de boue, bien plats et dégagés, séparent le bâti-
65 ment des douches de l'enceinte électrifiée. L'enfant a filé si vite qu'il en a bien quinze d'avance quand le soldat jure et s'élance à nouveau.

Plus tard dans la nuit, en racontant la chose à son voisin de chambrée, le soldat dira qu'ils n'étaient plus qu'à vingt mètres des barbelés quand elle s'est produite.

70 – J'allais l'avoir, tu comprends ? Il courait si vite, le petit salaud, il courait comme un lapin ! Mais je le tenais presque. Je levais déjà mon *gumi*, et juste à ce moment-là il a trébuché, et d'un seul coup, crac, plus rien, il a disparu. Plus rien, plus de gosse ! Comme ça instantanément, je n'ai plus vu devant moi que les barbelés dans la lumière des
75 projecteurs, rien d'autre !

Et son camarade, qui bâillera à s'en décrocher la mâchoire :

– Tu bois trop.

Le soldat haussera les épaules. Il remuera sa grosse tête de droite à gauche, avec une lente obstination.

80 – Pas à ce point. Bien sûr, je bois. Qui ne boit pas, ici ? Mais je vois encore ce que je vois, je sais encore ce que je dis. Le gamin courait devant moi. Il était là, et d'un seul coup, crac, il n'y a plus été.

– Laisse donc. Tu sais quelle heure il est ? Ces cochons n'en finissaient plus. Tu n'es pas fatigué ?

85 – Si, si.

– Alors, dormons. Nous l'avons bien mérité.

---

2. Ce qui est nuisible, funeste.

Le soldat, en dépit de la fatigue et de l'alcool, ne trouvera pas tout de suite le sommeil. Il se tournera et se retournera longtemps sur sa paillasse. Vers l'aube seulement il finira par s'endormir, et dans un rêve il poursuivra encore l'enfant. Son bras se lèvera sur la maigre nuque rasée. Et crac, plus rien, le *gumi* s'abattra sur le vide. Il n'y aura plus devant lui, dans la nuit scintillante, que la boue et les barbelés. Il appellera, larmoyant : *Petit ! Reviens !* Il s'avancera jusqu'à la ligne des barbelés. Il y posera sa main gauche et de longues étincelles en jailliront, mais il ne sentira rien. Il criera de nouveau : *Petit ! Petit ! Où es-tu ?* Il n'y aura pas de réponse. Il posera alors son autre main sur le fil, et les étincelles redoubleront. Crépitantes, mais toujours indolores, elles courront de ses mains à ses épaules, elles s'enrouleront autour de son cou, elles illumineront sa face obtuse[3], elles lui descendront le long du buste et des jambes, pour enfin retomber en gerbes mourantes à ses pieds. Il ôtera ses mains du fil électrifié et les étincelles continueront à gicler de son corps. Il essaiera de les éteindre, en se donnant de grandes tapes, en se roulant dans la boue. En vain. Il pensera : C'est ainsi pour toute la vie maintenant, et que va dire mon capitaine ? Il se verra chassé de l'armée, moqué de tous, fui des femmes, errant solitaire et lumineux jusqu'à sa mort. Il s'éveillera, hurlant, en nage. Il bredouillera quelques mots dans le petit jour de la chambrée. Il se rendormira pour finir d'un bon sommeil de brute, et quand son camarade lui dira, quelques heures plus tard : tu as dû faire un cauchemar ce matin, tu as crié, il répondra qu'il ne s'en souvient pas.

– Mais si, tu as même parlé, mais c'était à n'y rien comprendre.

– Non, vraiment, je ne me souviens de rien. Bah ! C'était l'alcool.

L'enfant a fermé les yeux. Le sol sous sa peau nue n'a pas la consistance de boue caillouteuse à laquelle il s'attendait. On dirait de l'herbe. Il lui a semblé, drôlement, qu'il tombait de plus haut que sa courte taille. Mais sa chute n'a pas été rude, et c'est la peur seule qui l'étourdit. Sa mâchoire, ses épaules, ses genoux, ses fesses, tout en lui tremble ; le soldat va frapper... Rien ne vient cependant. De seconde en seconde,

3. Bornée, fermée.

la poigne terrible tarde à s'abattre. Le soldat veut s'amuser, peut-être ?
120 L'enfant rouvre les yeux. Il se retourne lentement. Le soldat est là, immobile au-dessus de lui, les jambes écartées. L'enfant ramène ses bras fléchis sur sa tête. L'homme ne bouge pas. Sur son visage, aucune expression de cruauté ni de triomphe. Un air de surprise au contraire, et d'incompréhension. Sa bouche bée, ses yeux roulent. À petits coups
125 absents, du bout de sa matraque, il se bat le genou. Il esquisse un pas en avant, vers l'enfant recroquevillé. Le cœur de celui-ci se remet à battre la chamade[4]. Mais l'homme hésite, recule, revient, les yeux toujours écarquillés, marmottant on ne sait quoi. Il rejette en arrière son calot de police, il se gratte le front. L'enfant ose à peine respirer, par
130 crainte de rompre ce charme incompréhensible ; son persécuteur le tient à sa merci et pourtant il agit comme s'il ne le voyait pas. Mais déjà un sous-officier le rappelle. Alors, après un dernier regard circulaire qui passe sur l'enfant sans s'y arrêter, sans même ciller, le soldat s'en retourne au petit trot. Le sous-officier, d'impatience, s'est
135 avancé de quelques pas. Parvenu à sa hauteur, le soldat se fige au garde-à-vous. Ils parlent. Le soldat tend le bras vers les barbelés, vers l'enfant. Le sous-officier jette un coup d'œil de ce côté. Il hausse les épaules, puis, revenant au soldat, se tapote la tempe d'un doigt avant de le renvoyer à son poste. Ils n'en ont pas encore fini pour ce soir ; quelques
140 centaines de détenus attendent leur tour devant la porte du bâtiment des douches.

Le gamin n'a compris qu'une chose à toute l'aventure : pour une raison ou pour une autre, à l'endroit où il se tient, il est hors de vue. L'homme qui le poursuivait a maintenant regagné la ligne mouvante
145 des matraqueurs. De temps à autre, furtivement, il se retourne et regarde dans sa direction sans le voir. L'enfant a beau se dire que rien pourtant ne l'en empêche, il ne peut que le constater. À sa place, un adulte s'inquiéterait sans doute plus de ce prodige que du danger qu'il vient de courir et de l'incertitude de son sort. Mais lui, ses huit ans hébétés
150 par la guerre et la faim, ne sait vivre que l'immédiat.

---

4. Être affolé.

Il se laisse aller en arrière, il se détend peu à peu. L'herbe, car c'est bien de l'herbe, ploie mollement sous lui. Ses yeux clignent, à la fois de fatigue et d'aise. Il fait bon tout à coup, une brise tiède souffle sur sa peau, en cette nuit de novembre, au cœur du continent. Il garde les yeux clos quelques secondes, et quand il les ouvre à nouveau un arbre balance sa ramure doucement, juste au-dessus de lui. Il referme les paupières et respire à pleines narines l'odeur qui s'en exhale. La tête lui tourne. Sa poitrine se soulève d'une joie si tumultueuse qu'il s'en effraie d'abord. Il se redresse à demi. Non loin de lui, dans l'ombre, une mare minuscule clapote sous le vent. Il a soif. Il rampe jusque-là. Il y trempe une main. L'eau est fraîche. Il se penche. Il s'y baigne le front. Il y porte les lèvres. Elle est délicieuse.

Il relève la tête. Dans un halo, il aperçoit là-bas les tourmenteurs. Ils poussent vers la porte l'ultime contingent de la nuit. Plus que trois, plus que deux, voilà, le dernier est entré. On l'a bien bourré de coups au passage, avant de verrouiller la porte sur lui.

L'officier responsable consulte sa montre. Il hoche la tête. Autour de lui ses hommes discutent à voix basse. Il se fait tard, ils sont las. Il sort un étui de sa poche et distribue des cigarettes à la ronde. Il lance quelques mots. Une plaisanterie probablement, car la troupe s'esclaffe.

Un soldat est resté à l'écart. Bien qu'à cette distance il ne puisse distinguer son visage, l'enfant ne doute pas qu'il s'agit de son poursuivant. L'homme a raccroché sa matraque à sa ceinture. Il fume pensivement dans la nuit, tourné vers les barbelés. Les yeux de l'enfant papillotent. Il lutte quelques instants encore contre le sommeil, mais sa tête est trop lourde, sa couche d'herbe est trop moelleuse. Il s'abandonne. Les soldats, sur un ordre, ont jeté leur cigarette et se sont formés en colonne. À la suite de l'officier, ils rebroussent chemin à travers le champ de boue. Le bruit de leurs bottes, ce même martèlement qui le tenait parfois toute la nuit éveillé, quand il résonnait dans les rues de son village, l'enfant ne l'entend pas. Il dort.

Il fait jour. L'enfant s'éveille et se souvient des événements de la nuit. Oh ! Il n'aurait pas dû s'enfuir ! Il serait avec les autres maintenant, quelque part au-delà des douches. Ils doivent déjà travailler. Dur, sans doute, mais il n'a connu que cela depuis sa naissance, la vie difficile et la peur.

Dans le train, une femme lui a donné du pain. Oui, certains avaient du pain. Ils le gardaient. Elle lui en a donné un peu. Elle était seule et âgée. La seconde nuit, comme ils avaient si froid, elle l'a pris contre elle. Il a pu dormir. La vie est mauvaise : à l'arrivée la cohue les a séparés, il l'a perdue de vue tout de suite. Il n'aurait pas fait cette bêtise, sinon. Il n'y aurait même pas pensé, il serait resté près d'elle. Certainement, on l'a envoyée à gauche elle aussi. On n'envoyait à droite que les plus robustes.

Il y avait aussi le pied-bot qui plaisantait sans cesse. Comme ce serait bon d'être avec eux, entre eux, la vieille femme et le pied-bot ! Il faudrait les rejoindre. S'il allait trouver les soldats, s'il leur expliquait... Non, non, que pourrait-il expliquer ? On le battra de toute façon. Quoi qu'on fasse avec eux, ils y viennent toujours. Battre. Tuer. Il les connaît, ils font partie de la vie mauvaise, comme le froid, comme la faim.

L'enfant s'était levé. Il se rassoit. C'est étrange d'ailleurs, il n'a pas froid. Il examine mieux sa situation. Il est assis sous l'arbre, au centre de son îlot d'herbe, celle-ci plus haute encore qu'il ne lui semblait. La mare, vaguement ronde, ne mesure pas plus de deux mètres. Tout autour, derrière lui jusqu'aux barbelés, devant lui jusqu'à la bâtisse aveugle des douches. Il aperçoit loin sur sa gauche, à peu de distance d'un mirador, le vestiaire où l'homme lui a donné hier soir la savonnette de plâtre. À droite un rideau d'arbres dissimule un autre bâtiment, dont il ne voit d'ici que le toit surmonté de trois cheminées. Elles vomissent une fumée noire, grasse, puante. Le vent, quand il tourne, en apporte parfois des lambeaux. L'enfant réprime un haut-le-cœur. Ses compagnons travaillent là, sans doute ; c'est là qu'il devrait être. Il se sent en faute. Son père et son oncle après lui avaient bien raison de le dire, il ne fait jamais rien comme il faut, il attire les ennuis comme l'aimant attire le fer. Mais au village, il y avait toujours quelqu'un de sa famille ou un voisin pour arranger les choses. On le ramenait chez lui, on lui tirait un peu les oreilles, rien n'était vraiment grave. Ici, tout est grave, et personne ne l'aidera à se tirer d'affaire. Ah ! ça va mal, ça va mal ! De temps en temps il fait *bouhouhou* à voix basse, il pleure sans larmes, nerveusement. Puis il oublie. Il gratte la boue séchée qui gaine ses pieds nus, il arrache un brin d'herbe, il le suce. Il a faim. Il se lève. C'est alors qu'il voit les pommes, sur l'arbre. Il n'y en a que deux. Elles sont si belles entre les feuilles qu'à l'instant plus rien d'autre n'existe. Son ventre crie. Il tend la main ; il est trop petit. Il saute en vain. Il saute encore, plus haut. Cette fois-ci, il en a touché une. Il s'élance de tout son être, et retombe à genoux dans l'herbe, la pomme à la main. Il exulte[5]. Il s'assied. Son cœur bat : c'est quand même une pomme volée ! Si on l'a vu ? Et voilà justement du monde ! Une équipe de détenus, conduite par un colosse en manteau, s'avance dans la grisaille. L'homme au manteau est armé d'un gourdin. Il ne cesse d'en menacer les autres. Plus vite ! Plus vite ! Plus vite ! Ce n'est pourtant pas un soldat. Il parle comme on parle dans le village de l'enfant, loin

5. Il déborde de joie.

dans l'Est, mais il porte un brassard. Les détenus sont exténués ; ils trébuchent souvent. Plus vite ! Plus vite ! L'enfant retient son souffle. Certains regardent de son côté, en passant, mais leurs yeux restent vagues, même quand ils semblent se poser précisément sur lui. Ils traînent des seaux, des balais, des serpillières. Ils entrent dans les douches. L'enfant s'apaise. Il réchauffe la pomme entre ses mains. Il la frotte. Elle brille. Il se souvient d'avoir passé des heures ainsi, à cirer des châtaignes. Il avait moins faim qu'aujourd'hui. Il croque soudain dans la pomme. La chair, d'un blanc de neige, crisse entre ses dents. Un jus sucré lui coule dans la gorge. Il n'attend pas d'avoir avalé sa bouchée pour y mordre à nouveau, jusqu'au cœur. Il croque aussi les pépins. C'est vraiment une bonne pomme. Jamais il n'en a mangé de pareille. Il n'en a jamais vu non plus d'aussi rouge ; chez lui, les pommes sont petites et vertes.

Plus tard, en se penchant pour se désaltérer, il aperçoit les poissons, deux beaux poissons dans l'eau claire. Il suspend son geste, par crainte de les effaroucher. S'il peut les attraper, il tiendra plus longtemps. Une pomme n'a pas suffi à calmer sa faim, mais il s'est juré d'attendre. Maintenant, à genoux au-dessus de la mare, il calcule. S'il mange un jour une pomme, un jour un poisson, cela fait quatre jours. S'il mange un poisson aujourd'hui, et demain la même chose encore, un poisson et une pomme, cela n'en fait que deux. Cependant il a faim ! Voyons, il pourrait manger un poisson aujourd'hui, et demain seulement une pomme ; il lui resterait un poisson pour après-demain. Trois jours, donc. Ensuite il faudra quitter cet asile. Il faudra, d'une manière ou d'une autre, rejoindre le monde mauvais. Il imagine, là-bas, l'usine noire, les coups, les cris dans l'air nauséabond[6]. Il chasse bien vite cette image. Un des poissons s'est approché de la berge, tandis qu'il réfléchissait. Il est à sa portée. L'enfant plonge la main dans l'eau pour le saisir. Manqué ! Le poisson a glissé vivement entre ses doigts. Mais rien n'est perdu. L'imprudent n'a pas filé assez loin. L'enfant s'allonge sur l'herbe. Sa

6. Qui dégage de mauvaises odeurs.

tête et ses bras seuls dépassent de la berge, à deux mains cela ira mieux.
265 Le poisson, après un instant d'inquiétude, a oublié l'alerte. Il rêvasse à présent, il se caresse aux algues qui tapissent le fond de la mare. Le garçon refrène son impatience. Il faut attendre que l'eau un instant remuée redevienne absolument calme, et que le poisson s'immobilise tout à fait. Alors il lancera ses deux mains en même temps, et le pois-
270 son, chassé par l'une, se jettera dans l'autre.

Aïe ! Il y est allé trop fort ; l'eau a jailli et l'a éclaboussé. Il n'y voit plus rien, sa proie s'échappe. Il se redresse, la face ruisselante. Il maudit sa maladresse : il a touché le fond, il a levé la vase. L'eau en est toute trouble. De rage, il se donne une gifle.

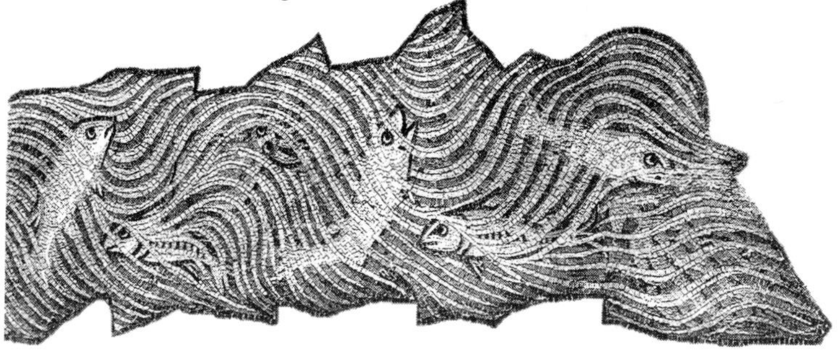

275 Il a fini par prendre un des poissons et il l'a mangé. On ne servait pas souvent du poisson chez lui ; il savait tout juste qu'il faut le vider et le cuire. Mais ici ? Le vider avec quoi ? Le faire cuire comment ? Il l'a mangé comme il l'avait pêché. Bah ! Tout était bon dans ce poisson-là, et l'enfant s'en est à peine étonné.

280 Il n'a plus peur, il n'a plus faim pour le moment, et cette paix si rare le désoriente. Vivre, c'est fuir ou chercher de la nourriture. Il bâille. Il se couche sur le dos. Les yeux au ciel, il songe qu'il pleuvra bientôt. Il s'abritera alors sous le pommier. Ses paupières battent puis se ferment, son esprit s'envole. Il plane au-dessus du camp, très haut. Il
285 embrasse tout d'un coup d'œil, et découvre une infinité de vergers minuscules, semblables au sien, éparpillés sur une immense plaine de boue. Quelque part dans le ciel, il s'accoude à un nuage. Le pied-bot

le rejoint. Il est vêtu de boue des pieds à la tête ; il porte un smoking de boue, des chaussures de boue, une chemise et un nœud papillon de boue, et même un petit chapeau, de boue lui aussi. L'enfant le trouve très élégant.

– Tu vois comme c'est, lui dit le pied-bot. À chacun son arbre et sa mare, ses pommes et ses poissons ! Et ces idiots n'en savent rien. Regarde-les, avec leurs gros bâtons et leurs grosses idées. Pff ! Non mais, regarde-les !

L'enfant baisse les yeux. Les soldats errent dans la plaine entre les vergers. Ils ont perdu toute superbe[7]. Ils ploient l'échine sous le poids de matraques monstrueuses comme des mâts de navire. Ils traînent derrière eux, à grand-peine, des fouets interminables. Tout à coup, sur un geste du petit homme vêtu de boue, le ciel se déchire, un déluge s'abat. La plaine se change en marécage. Les soldats s'enlisent avec leur fardeau dans le sol spongieux, martelé par l'orage, sous les quolibets que leur décoche le pied-bot du haut des cieux. Allez, maîtres ! Allez, seigneurs ! La terre s'ouvre pour vous. Eh ! C'est bien votre tour, vous qui l'avez ouverte pour tant d'autres... Il rit, l'enfant rit avec lui. Un chœur de sanglots et d'appels monte vers eux. Des mains se tendent, des bouches à demi comblées de boue balbutient des prières. Mais là-haut le pied-bot, implacable[8], voletant à présent d'un coin du ciel à l'autre, relance la tempête de seconde en seconde. La boue engloutit un à un les soldats. Le dernier d'entre eux jette enfin le dernier cri avant de disparaître. Alors l'infirme, comme il l'avait déchaîné, arrête le déluge d'un geste impérieux. Une rafale ultime fouette la plaine. Voilà, c'est terminé, le pied-bot, d'un geste encore, disperse les nuages. Le soleil démasqué brille au centre du ciel. Déjà la terre fume, déjà l'eau du déluge s'évapore. L'herbe des vergers, dans une germination foudroyante, gagne de proche en proche sur la boue. Poussant au loin de vertes excroissances, déjà les îlots se rejoignent. Leurs Robinsons s'élancent. Parents, amis, amants naguère séparés, ils se reconnaissent et s'étreignent.

---

7. Fierté.

8. Sans pitié.

320 L'herbe a bientôt tout recouvert. Le pied-bot et l'enfant planent lentement vers le sol. Ils foulent l'herbe frémissante. L'habit de boue du contrefait, séché aux rayons du soleil, craque et s'émiette, et tombe autour de lui comme une vieille écorce. Il rit. On l'acclame. Il boite nu sous l'ovation[9]. Mais l'enfant aperçoit les siens. Il court vers eux les 325 bras tendus, dans un cri.

Il s'éveille. Il a plu. L'herbe luit d'humidité. Un convoi est arrivé pendant son sommeil. Une longue file d'attente, composée comme celle d'hier de faibles et de vieux, de femmes et d'enfants, piétine devant la porte des douches. Et c'est la même bousculade angoissée, les mêmes 330 coups sur les mêmes épaules. Les fouets sifflent, les matraques tournoient et s'abattent. On dirait qu'un seul corps, une seule chair unanime se tord sous la schlague. L'enfant, le cœur battant, croit reconnaître au passage ses compagnons de la veille. Ce cri d'une femme au dos cinglé, il l'a déjà entendu cette nuit. Cette bouche qui se mord elle-335 même, il l'a vue hier dans un éclair, quand la colonne s'est entrouverte pour lui, après sa chute. Sa gorge se noue, il est saisi de tremblements. Un boiteux, la tête en sang, vient de franchir la porte. Et là-bas, arrivant en retard du vestiaire, un gamin qui lui ressemble s'efforce de rejoindre les autres avant qu'un soldat l'aperçoive.

340 Comme ils étaient nombreux! Cela a duré jusqu'à la nuit. L'enfant est d'abord resté prostré[10], les yeux clos, les mains pressées sur les oreilles. Puis, quand enfin son cœur a cessé de battre si follement, il s'est repenché sur la mare, il a attrapé le second poisson, tandis que derrière lui se poursuivaient l'attente et les violences. Pas plus que ce 345 matin, il n'y est parvenu tout de suite: il lui a fallu guetter, ruser, et patauger longtemps. Mais la difficulté même de sa pêche, et l'ardeur qu'il a fini malgré lui par y mettre l'ont distrait de l'insoutenable.

Il fait noir. On a remis l'usine en marche au crépuscule, et le ciel s'est obscurci à la fois de fumée et de nuit. Il se tient tourné vers les 350 barbelés, à l'opposé des douches. Il a englouti le poisson, il a croqué aussi la pomme qui restait. Il n'aura rien demain.

---

9. Les applaudissements.

10. Abattu, accablé.

Tout est calme à présent. Leur tâche accomplie, comme hier les soldats sont repartis après avoir fumé les cigarettes de l'officier. L'enfant se lève. En quelques pas, il a dépassé la limite de son asile. La boue glace ses pieds. Il frissonne. Il n'ose plus se retourner. Il marche jusqu'à l'enceinte barbelée, et là s'immobilise face aux denses profondeurs de la nuit, par-delà le corridor de lumière que trace un projecteur en enfilade. Qu'a-t-il donc imaginé ? La ronceraie de fer est si inextricable qu'un lapin s'y déchirerait. Puis il le sait, un courant mortel irradie chacune de ses pointes. Il avance d'un pas encore, et il entend l'énergie bourdonner dans les fils. Mais pas un instant il n'a songé au mirador. Un soldat l'a vu, de là-haut. Des cris éclatent, le faisceau d'un projecteur mobile tâtonne un instant, le trouve, s'accroche à lui. Le mitrailleur a dû hésiter à la vue de ce mioche en pleine zone interdite, car ses premières balles, mal ajustées, fouaillent la boue sans le toucher. L'enfant, brusquement, fait volte-face et s'élance à toutes jambes en direction des douches. La seconde rafale se perd elle aussi dans le sol, au centre de la tache lumineuse qu'il vient de quitter. Le servant[11] du projecteur se moque de lui à mi-voix.

370 – T'énerve pas, champion, tu finiras bien par l'avoir !

Et se tournant vers le troisième occupant de la plate-forme, qui s'apprête à déclencher la sirène d'alarme :

– Eh ! Horst ! Sors-lui des bandes, ça risque d'être long !

Ils pouffent de rire. Le mitrailleur se rebiffe.

375 – Crétins ! Je l'ai, cette fois. D'une seule balle. Vous allez voir !

Ils ont perdu ainsi plusieurs secondes, mais ils n'en ont cure[12]. Le gibier ne peut s'échapper. Au moment d'appuyer sur la détente, le tireur se demande encore ce que cet enfant tout nu pouvait bien ficher là. On a traité un convoi ce soir. Il y a quelque part en bas un négligent 380 qui va se faire taper sur les doigts.

Le soldat pousse un cri de surprise. Le gosse a disparu de sa ligne de tir, instantanément, comme par magie. Il écarquille les yeux. Les autres, à ses côtés, s'exclament avec lui.

– Eh ! Où est-il passé ? Je rêve, ou quoi ? Retrouve-le, bon Dieu ! Avec 385 ton truc ! Balaye ! Balaye !

L'homme au projecteur fouille avec frénésie le champ de boue. Il n'a plus envie de rire.

– Horst ! Lance la sirène ! On a déjà trop attendu !

Ils se disputent, maintenant, dans le hurlement de la sirène.

390 – C'est de ta faute. Tu l'as manqué deux fois ! Je te le servais sur un plateau, pourtant !

– J'aimerais t'y voir ! À cette distance...

Bientôt une patrouille surgit de l'ombre au pied du mirador. Un chien de berger accompagne les hommes.

395 – Les voilà ! Horst, descends les guider !

L'enfant hors d'haleine s'est allongé près de la mare. Il n'a couru qu'une vingtaine de mètres, mais l'émotion surtout l'a brisé. Un écart d'un pas à droite ou à gauche lui eût été fatal : jusqu'au dernier moment

11. Celui qui guide le projecteur. **12.** Ils s'en moquent.

l'étroite surface d'herbe et le pommier lui-même lui sont demeurés invisibles. Ils ne lui sont apparus qu'à la seconde exactement où le sol a changé de consistance sous ses pieds. Alors il a fermé les yeux, il s'est laissé tomber dans l'herbe. Le cri de la sirène lui fait relever la tête. Peu de temps après, du côté du mirador le plus proche, lui parviennent d'abord les aboiements d'un chien, puis des voix d'hommes. C'est de là-haut, à gauche en retrait de la baraque des vestiaires, qu'on l'a mitraillé. Le gros œil méchant du projecteur, qui balaie inlassablement le terrain, l'éblouit quand par hasard il repasse sur lui. Cinq, huit, dix hommes en armes débouchent à la course de l'allée, le chien tirant en tête sur sa laisse. L'enfant se réfugie sous le pommier. S'en souvient-il ? Il fut un temps, très court dans sa courte vie, où tout de même les enfants de son pays craignaient plus les chiens que les hommes.

Les soldats fouillent d'abord les plages d'ombre sous la bâtisse des douches, tandis que deux d'entre eux, partis du même point dos à dos, longent l'enceinte à la rencontre l'un de l'autre. Leur officier hausse les épaules d'agacement. Le lieu est clos ; un portail, hérissé lui aussi de barbelés, et qu'ils ont trouvé fermé, barre l'allée du côté de la gare. À l'opposé il n'y a qu'une issue : les douches elles-mêmes. On les tient verrouillées en permanence, hormis les heures où elles fonctionnent. Les hommes du mirador ont eu la berlue[13]. Il se tourne vers Horst.

– Et alors ?

D'un mouvement du menton, il lui montre l'étendue plate et vide. On a branché une batterie supplémentaire, et il fait clair comme en plein jour.

– Nous sommes pourtant trois à l'avoir vu, mon lieutenant. Un gosse tout nu, de la sélection de ce soir, sûrement...

– Alors tu m'as dérangé pour un fantôme !

Horst songe au mauvais rapport qu'ils risquent, ses camarades et lui. Il sourit à la plaisanterie de l'officier, mais il rectifie aussitôt la position.

– Je ne crois pas aux fantômes, mon lieutenant.

---

13. Ont des visions.

– Moi non plus. Tu imagines ? Nous n'en finirions plus !

Les deux soldats, leur inspection de l'enceinte achevée, reviennent au rapport.

– Il n'y a rien, mon lieutenant. Ils ont rêvé.

435 Horst baisse la tête.

– Pourtant, le chien...

C'est vrai, le chien, tapi aux pieds de son maître, jappe et geint en direction des barbelés. Mais il n'y a par là aucun obstacle, aucune cachette éventuelle.

440 – Qu'est-ce qu'il y a ? Qu'est-ce que tu vois ? Va ! Va !

Son maître a beau le gronder et l'encourager tour à tour, c'est en vain ; il tremble et ne veut rien savoir.

– Je ne sais pas ce qu'il a, mon lieutenant, il ne fait jamais ça...

Le lieutenant en a assez. Il hausse les épaules.

445 – Ton chien aussi a des visions !

Un caporal les rejoint.

– Nous avons fouillé le moindre recoin, mon lieutenant. Tout est fermé. Il n'y a personne.

– C'est bon.

450 Le lieutenant s'écarte du groupe. Il s'immobilise en pleine lumière, tourné vers le mirador, et croise haut ses bras au-dessus de sa tête. Le mitrailleur, sur la plate-forme, comprend le signal et interrompt la sirène.

Le caporal rassemble les hommes. La patrouille s'éloigne. On entend
455 encore, decrescendo[14], les pas des hommes et les gémissements du chien.

Le gamin finit par s'endormir. La nuit passe, le ciel pâlit à l'est. Le vent de l'aube se déchire aux pointes des barbelés, et cependant pas un brin d'herbe ne frémit dans l'oasis. Un instant, juste avant qu'on
460 éteigne les projecteurs, les deux clartés mêlées s'affrontent en un mascaret[15] immobile. Une seconde peut-être, l'enfant luit dans cette lumière comme un enfant peint sous le vernis d'une toile. Au-dessus de lui, à

14. Qui décroît.

15. Longue vague déferlante.

peu près à la verticale de son front, deux taches rouges trouent le fouillis vert des feuilles, tandis que sur sa gauche deux reflets d'argent biffent[16]
465 l'eau de la mare. Puis une main on ne sait où débranche le circuit des projecteurs, et le monde retrouve sous le seul soleil sa vraie lumière plate. L'eau clapote, le vent ploie les herbes et les feuilles.

Plus tard, à son réveil, l'enfant aperçoit les deux pommes. Elles sont aussi grosses, aussi mûres que celles de la veille. Il en cueille une, non
470 sans mal, car elles ont poussé sur la même branche qu'hier, un peu haute pour lui. Il y mord aussitôt. Il se retourne en mâchant vers la mare. Deux poissons y nagent en rond. Il s'assied, joyeux et songeur à la fois, pour terminer sa pomme. Il ne quittera pas encore aujourd'hui son refuge. Une sorte d'allégresse solennelle s'empare de lui à cette
475 idée, ses yeux se mouillent, et son cœur bat de joie au même instant. Chez lui, on chantait bien sûr aux fêtes religieuses, mais ces hymnes l'émouvaient moins que les chansons profanes que son oncle fredonnait parfois le soir. C'est une d'entre elles, une romance paysanne, qui lui monte aux lèvres. Il bute sur certains passages dont le sens lui
480 échappe et dont l'obscurité même l'enivre. Il sent, à l'énoncé de ces mots pour lui sibyllins[17], palpiter il ne sait quoi dans sa chair, les premières appréhensions de la promesse et du secret, ce vers quoi tend peut-être toute sa vie. Son âme exiguë, terrifiée, trop tôt meurtrie, tout à coup se dilate, et sa voix d'abord tremblante s'affermit dans la soli-
485 tude du lieu.

Je me glisse dans ton jardin
Comme un voleur,
Et je touche tes robes tendues
Sur la corde au soleil.
J'y plonge ma face et mes mains
Et je pleure,
M'enfuyant comme je suis venu
Quand ton chien se réveille.

---

16. Barrent, raturent.

17. Dont le sens est caché, obscur.

Le vent sans doute emporte la chanson et la sème par bribes partout
495 dans le camp. Et chacun entend ou croit entendre une voix grêle, et brave tout de même, lui chantonner un instant à l'oreille.

Chaque matin désormais, l'enfant découvre sur l'arbre deux pommes mûries en une nuit aux rayons de la lune, et dans la mare deux poissons ressuscités. Sa journée passe ainsi, en pêche et en cueillette, car
500 il lui faut malgré tout mériter sa manne[18], à force de bonds, à force de patience. Il mange, il chante, il joue à des jeux inventés, aux règles infiniment obscures. Par exemple, trois jours de suite, il garde avec soin ses pépins de pomme. Il les compte, il associe ce chiffre aux nombres de brins d'herbe d'une touffe arrachée les yeux clos. Il ouvre de nou-
505 veau les yeux pour consulter l'état du ciel : un gros nuage à droite, deux petits à gauche. Il en tire des oracles[19]. Toute solitude est folie.

Il s'imagine des amis, il leur donne des noms, *Rogodo, Bamacek, Libolu*. Tous les quatre, ils sont invisibles, ils jouent des tours pendables aux officiers. Ils organisent des expéditions dans l'usine, là-bas derrière
510 le rideau d'arbres, ils libèrent la vieille femme et le pied-bot, ils s'enfuient tous ensemble dans la montagne... D'autres fois il s'écœure de ces chimères[20], il pense à son village, il revoit sa maison, sa famille. Il se couche en chien de fusil près de la mare. Il reste là longtemps, immobile.

Tous les soirs ou presque un nouveau convoi arrive au camp. Jusque
515 tard dans la nuit, l'aire devant les douches retentit de cris, de plaintes, du même tumulte qu'au premier jour ; et l'enfant, de dessous son arbre, assiste à ce spectacle. Parfois le cœur lui manque, il s'en détourne, il choisit ce moment pour manger. Quand le calme revient, il s'étend la face dans l'herbe, il s'endort. Souvent il songe à l'usine, à ses milliers
520 d'ouvriers... Elle doit être immense ! Sûrement, il n'en devine là qu'une infime partie ! La solitude lui pèse trop certains soirs. La tentation le ressaisit d'abandonner son abri et sa manne. Les soldats lui tournent le dos ; avec un peu d'adresse il pourrait les déborder, rejoindre la colonne, se

---

18. Nourriture miraculeuse.

19. Réponse donnée par une divinité quand on l'interroge.

20. Rêve, songe.

perdre dans le nombre, entre ses frères. Mais toujours la peur le retient.
525 Nuit après nuit, il les laisse s'engouffrer dans les douches sans lui.

Des jours durant, il neige, puis un vent de glace souffle sur la terre. Le froid tue des vieillards, souvent, parmi les nouveaux arrivants. Mais pas un flocon n'est tombé sur l'asile de l'enfant. Un lambeau d'été cerné par l'hiver s'éternise là. L'air est tiède sur sa peau nue, les pommes
530 mûrissent au-dessus de lui ces mêmes nuits où d'autres, un jet de pierre plus loin, meurent de froid.

Le premier matin, quand il a vu en s'éveillant l'aire tout enneigée, il est venu s'asseoir dans l'herbe à l'extrême bord de son domaine. Il a porté à sa bouche une poignée de neige vierge. Les cristaux ont fondu
535 sur sa langue. Bien vite, la boule entre ses mains a commencé à fondre elle aussi. Alors, visant le tronc du pommier, il l'a lancée. À cette distance, il ne pouvait manquer son but. La boule a éclaté. Dans l'herbe, au pied de l'arbre, les miettes blanches ont fondu en un clin d'œil. L'enfant a eu envie de pleurer tout à coup, sans savoir pourquoi. Mais
540 cela n'a pas duré longtemps. Il a fermé les yeux, il a appelé Bamacek et les autres, et ils ont joué sur l'aire à la bataille de neige. Ils avaient les joues et les mains rouges de froid et des flocons plein les cheveux. Souvent, tant ils couraient, tant ils riaient, il leur fallait s'agenouiller un instant pour reprendre haleine. Mais soudain menacés ils se rele-
545 vaient à la hâte, sans avoir eu vraiment le temps de souffler, et s'enfuyaient sous une volée de boules blanches. Parfois l'un d'eux se laissait surprendre. Quand on l'avait à sa merci, on lui écrasait de grosses boules sur la tête, on lui frottait de neige le nez, les oreilles et la bouche, il se tordait, il étouffait. *Assez ! Non, non ! Pas dans le cou ! Ah ! t'es*
550 *vache !* Et même cela, c'était bon.

L'équipe du colosse au brassard défile devant lui chaque lendemain d'arrivage. On tient les douches propres ! Le froid bleuit les mains crispées sur les manches à balai, sur les anses des seaux. Les yeux pleurent, trop grands dans les visages osseux. La brute marche en tête, le
555 col bien remonté, le nez dans son écharpe. On l'entend moins, depuis qu'il gèle. Mais de temps en temps tout de même il écarte d'un doigt l'écharpe de sa bouche, et il braille... Une-deux ! Une-deux ! Plus vite !

Un jour, comme l'enfant vient de mordre une pomme, ils passent. L'irascible[21], son bâton sous le bras, précède sa troupe d'un peu plus loin qu'à l'ordinaire. Il ne crie pas ; sa mine est sombre. Il marche sans se retourner à tout bout de champ, comme il aime pourtant à le faire, pour surprendre la faute, l'écart, le pas sauté. Il rumine aujourd'hui on ne sait quels tracas. Alors l'enfant lance sa pomme. Il n'a pas réfléchi, c'est venu comme cela. Son bras s'est tendu, sa main s'est ouverte, et

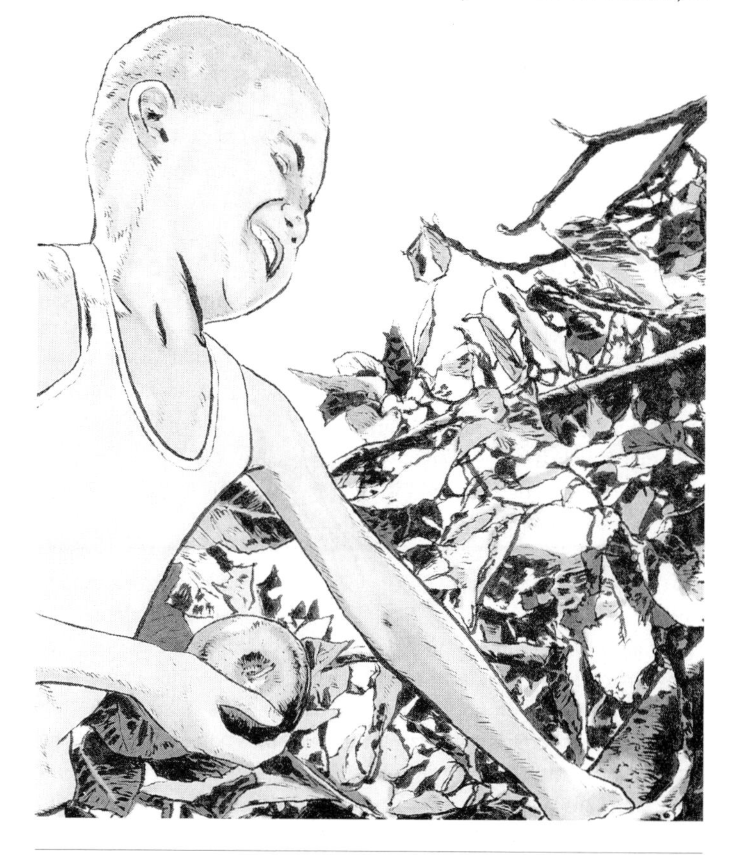

21. Violent, coléreux.

voilà. La pomme tombe aux pieds d'un bagnard. Une tache rouge, éclatante, sur le gris de la neige foulée. Autour, personne. Les barbelés, et au-delà la même plaine désolée que toujours. L'homme se baisse. Son cœur bat. Très vite, il empoche le fruit mordu. Le kapo, devant, n'a rien vu ni rien entendu. Le bagnard rattrape le pas. Si personne ne le dénonce, tout ira bien. Il a peur, mais il rit quand même en dedans. La journée peut bien être dure maintenant. D'où qu'elle soit venue, c'est à ses pieds que la pomme est tombée.

L'enfant partage, désormais. Bientôt les détenus le savent : chaque jour de corvée, au même endroit, le sort jette sur leur chemin une pomme, ou un poisson vivant. Et la provenance en est si mystérieuse qu'entre ces affamés prêts à se battre au sang pour un quignon, pour une ordure, dès le deuxième jour une règle tacite[22] s'instaure : le don du ciel échoit simplement au plus proche. Pour répartir avec plus d'équité[23] les chances, on intervertit tous les matins les deux rangs de l'équipe – car le miracle se produit toujours à l'aller, sur la droite, du côté des barbelés. De lui-même d'ailleurs, le lanceur invisible vise soigneusement, chaque jour, une tête nouvelle. On ne bronche pas, à l'instant où ça tombe, et nul ne songe à disputer. C'est pour toi ! Prends, vite, vite, que le braillard ne s'aperçoive de rien ! Tout doit rester secret. Demain peut-être ce sera mon tour.

Et quand l'élu a caché la manne sous ses haillons, il semble soudain que l'escouade tout entière aille d'un pas plus ferme. Il l'a. On l'a. Aujourd'hui encore. Il arrive pourtant que l'enfant dorme quand l'équipe gagne les douches. Les hommes guettent en vain, au passage, la chute de la pomme ou du poisson. Quelquefois aussi, un officier désœuvré rôde sur l'aire et les observe qui défilent ; la vigilance du kapo redouble. Ils prient alors que le miracle n'ait pas lieu, et ils sont entendus. L'enfant, comprenant qu'il les mettrait en danger s'il lançait quelque chose, s'en abstient. Jusqu'au soir, pour l'équipe de nettoyage, la tâche est plus terrible encore, les cris, les mauvais traitements plus odieux. Plusieurs, au fil du temps, choisissent un de ces jours-là pour mourir ; ils cèdent aujourd'hui à la faim, aux coups, à la maladie, mais ce qui les tue en vérité

---

22. Non exprimée, sous-entendue. **23.** Égalité.

c'est qu'il n'est rien tombé de miraculeux ce matin sur leur chemin, et leur âme navrée[24] s'est accrochée avec moins d'âpreté qu'hier à la vie.
600 D'autres, au contraire, vivront un jour de plus, ou cent jours, ou des milliers peut-être, parce que l'enfant les a choisis, de loin, par une aube glaciale où la pire lassitude les gagnait, pour leur lancer la pomme. Le temps passe ainsi, et les hommes de l'équipe, un à un, meurent ou se perdent selon leur destin dans le tourbillon du camp, et d'autres les remplacent,
605 qui périssent ou s'échappent à leur tour. Décimée presque chaque jour, l'équipe du premier matin n'existe bientôt plus ; ne demeurent que la brute au manteau, toujours bernée[25], et le gosse invisible. Entre eux les damnés se succèdent, comme les éphémères[26] entre deux rives.

C'est un jour vers midi, à la fin de l'hiver. Il n'y a pas eu de convoi hier
610 au soir, et les nettoyeurs ne sont pas passés ce matin. La neige tarde à fondre, par endroits, sous le ciel jaune. L'enfant s'ennuie dans son verger, ainsi qu'il lui arrive de plus en plus souvent. L'herbe pousse aussi verte et drue que toujours, comme avant les poissons se renouvellent dans la mare et les pommes sur l'arbre, mais lui ne chante plus, et il joue
615 moins. Ses amis d'imagination, Libolu, Rogodo, Bamacek, perdent leur substance jour après jour. Il les appelle encore parfois, mais la partie à peine entamée, il ne sait pourquoi, il se met à bouder, il les renvoie. Et puis flûte, vous m'embêtez, vous n'existez même pas ! Les petites ombres se dissipent tristement, tandis qu'il se couche, les yeux au ciel, morose.
620 Il a forci, il a grandi ces derniers mois. Il n'a plus besoin de sauter, à présent, pour cueillir les pommes. Il ne prend plus les augures[27] des nuages, des pépins de pomme ni des brins d'herbe ; il se sait en sécurité, sa peur du début l'a quitté, et peut-être le don d'enfance avec elle.

Ce jour-là, donc, peu avant midi, le portail s'ouvre et un homme,
625 un détenu, s'avance. Les sentinelles ont négligé de l'escorter. Il a dû leur montrer un ordre écrit. Un officier a oublié quelque chose, un briquet, un document, et l'a chargé d'aller le lui chercher. En tout cas c'est inhabituel.

---

24. Attristée.

25. Trompée.

26. Petite libellule qui vit de quelques heures à quelques jours.

27. Présage, interprétation tirée d'un signe.

Il marche vite, en direction des douches, et bientôt l'enfant le voit mieux. Vingt ans. Une tenue bien propre et repassée, des joues pâles mais pleines. Celui-là, jeté en enfer, a su se tenir éloigné du brasier. Le Diable avait besoin d'un page, sans doute. En vérité l'enfant ne sait rien de la vie du camp, mais au village, déjà, seuls duraient les malins et les forts, et l'enfant, si faible, si naïf, n'aimait ni les uns ni les autres. Pourtant, dans le regard de celui qui vient, luit une flamme calme qu'il n'a jamais vue dans d'autres yeux. Quoi que tu aies fait pour survivre, on avait fait pire avant pour t'abattre. Cette flamme, en toi, brûle tes actes à l'instant même où tu les accomplis, et qu'on nous montre la balance capable d'en peser la pure cendre... L'enfant bien sûr ne songe pas à tout ça. Il sort de son refuge, il court à la rencontre du jeune homme. Celui-ci sursaute.

– Que fais-tu là ?

– Viens avec moi, vite, à l'abri !

– J'ai une cachette, là tout près...

Le jeune homme a peur. On va les voir. L'enfant le tire par la main.

– Tu n'auras plus faim ni froid, tu seras en sécurité, toute la vie !

– Qu'est-ce que tu racontes ?

– Viens donc ! C'est là !

De sa main libre, l'enfant montre le centre de l'aire boueuse. Le jeune homme se dégage.

– Tu es fou, il n'y a rien.

– Si, si, tu verras, c'est comme un jardin !

Des cris éclatent derrière eux. Les sentinelles les ont vus. Le jeune homme s'affole. Il entend, là-bas, le claquement d'une culasse.

– Suis-moi !

L'enfant détale. Mais il n'y a rien devant eux, que l'enceinte infranchissable. Le jeune homme, ouvrant les mains, se retourne vers les hommes du portail. On va s'expliquer. Il n'a rien fait de mal. Le gosse a perdu la raison. Le commandant va s'impatienter, il attend ses lunettes.

Une balle a jeté le jeune homme à la renverse dans la boue. Groupés autour du corps, l'arme à la hanche, les assassins se demandent longtemps où a pu passer l'autre, le petit. Horst est parmi eux. Il ne souffle mot. Sa décision est prise, il va demander sa mutation. N'importe où loin d'ici, même au front.

665 Les hommes finissent par se dire qu'ils ont rêvé. Ils prennent le jeune homme par les pieds, ils le traînent ainsi jusqu'au portail. Qu'allait-il chercher, au fait ? Ah oui, les lunettes du commandant. Il faut s'en occuper. Horst se propose ; il en profitera pour parler de sa mutation.

L'enfant est assis en tailleur sous son arbre. À dix mètres de lui le 670 sang noircit déjà. Un vol d'oies sauvages traverse le ciel.

Un nouveau convoi est entré en gare. L'enfant n'a vu personne encore, pourtant il en est sûr. Le vent du soir a porté jusqu'à lui la rumeur confuse de l'arrivée, d'ici presque inaudible, mais qu'il sait reconnaître pour l'avoir tant de fois guettée. Là-bas sur le long quai les portières au coup de sif- 675 flet grincent dans leurs coulisses encrassées, les cris fusent, de rage ou de peur, les fouets claquent, les corps piétinent. L'enfant, les yeux fermés, se souvient de cela, qu'il a vécu des mois auparavant. Il revoit les mères affolées recomptant sous les coups leur marmaille, les hommes broyant dans leur main le poignet de leur femme. Reste avec moi, fais 680 attention, tout ira bien ! Mais ils savent que tout ira mal, qu'on va les séparer, et leur voix tremble. Il revoit, dans les yeux des uns, la peur et déjà l'abandon, et dans les yeux des autres le courage, féroce et douloureux. Le jeune homme de tout à l'heure a dû descendre ainsi du train, tout entier tendu, prêt à saisir par les cheveux la moindre chance. La 685 chance s'est laissé saisir. Il a tenu longtemps sa chevelure dans sa main, comme une longe[28], ils ont marché ensemble au milieu des dangers. Puis un midi d'un geste brusque elle s'est dégagée ; elle l'avait enfin conduit où elle voulait : sous la balle. Et elle s'en est allée, avec un rire de folle, chercher ailleurs une autre dupe.

690 L'enfant accomplit à nouveau le chemin. À nouveau on l'envoie à gauche. À nouveau, dans le vestiaire puant, il se dévêt et plie ses hardes. Serrant le plâtre écrasé dans son poing, il court derrière la colonne. Non loin de lui un homme glisse, se relève, retombe sous la matraque d'un garde, se relève encore et s'esbigne[29] en clopinant.

---

28. Corde, courroie pour attacher un cheval. **29**. Se sauve.

695 Quand il rouvre les yeux, il fait nuit. La tête du troupeau débouche de l'allée dans la lumière des projecteurs. Les douches sont ouvertes. Les deux cents premiers s'y engouffrent. Vite, on refoule le trop-plein et on ferme la porte. Face à la cohue, les genoux au menton dans l'ombre du pommier, l'enfant guette l'instant propice. La nuit embaume autour 700 de lui. Dans la mare les poissons sacrés accrochent par moments les rayons de la lune.

L'instant vient. Bientôt on va rouvrir la porte. Les soldats, qui le savent, concentrent toute leur attention sur la foule qu'ils vont canaliser. Et puis, qu'importe au fond qu'on le voie et qu'on le pourchasse ? 705 Ce qu'ils veulent, il le veut plus encore qu'eux-mêmes. Il se lève et s'avance sur l'aire d'un pas tranquille. À quelques mètres de la haie des gardes, il prend le pas de course, repère d'un coup d'œil une brèche assez large et s'y jette. Un cri. Il accélère, crochète à droite, à gauche, c'est gagné. Il aimait jouer, à l'école, au jeu des gendarmes et des voleurs. 710 Il plonge dans la multitude, il est hors d'atteinte. On vient d'ouvrir les douches. Le flot déjà l'entraîne. Pressé, suffoqué, le cœur plein cependant d'une joie mystérieuse, il franchit à son tour la porte entre une vieille femme et un infirme.

Kythnos-Paris, juillet 1975 – octobre 1976.

Georges-Olivier CHATEAUREYNAUD, « Le verger »,
in *Le Héros blessé au bras*, éd. Bernard Grasset, 1987.

Repérer

L'aspect du texte

1. De quel ouvrage ces trois lignes sont-elles extraites ? Quel rapport précis l'exergue (citation située en tête de texte) a-t-il avec la nouvelle ?
2. En parcourant la nouvelle, dites si les phrases sont plutôt courtes ou longues. À quel temps principal est le récit ? Quel est l'effet produit sur le lecteur ?

Les lieux et le temps

3. Quels sont les deux lieux dans lesquels se déroule le récit ? En quoi s'opposent-ils ?
4. Dans les lignes 1 à 66, le narrateur nomme-t-il l'endroit où se trouve l'enfant ?
5. Que signifient un « gumi » (l. 72), la « schlague » (l. 332), le « kapo » (l. 568) ? Que sont réellement le camp, les douches, le bâtiment aux trois cheminées (l. 204-209) ? Quel conflit mondial sert de toile de fond au récit ?
6. Qu'évoque pour vous le mot « verger » ? De quels éléments se compose le verger de la nouvelle ?
7. Relevez les indications temporelles (indices évoquant les mois, les saisons...) qui permettent de déterminer l'époque et la durée de l'action.
8. À quels moments précis de la journée se situent les deux derniers épisodes (l. 609 à la fin) ?

Les personnages

9. Qui représente le « ils » de la ligne 1 ? Quels autres mots sont utilisés pour désigner les mêmes personnages (l. 52-59) ?
10. Dressez la liste des autres personnages. Classez-les suivant qu'ils vous apparaissent comme victimes ou comme bourreaux.
11. Relevez tout ce que vous avez pu apprendre sur l'enfant au fil du récit. Que ne savez-vous pas ? Ces manques nuisent-ils à l'intérêt de l'histoire ? Justifiez votre réponse.

Les épisodes

12. Voici, dans le désordre, les différents épisodes qui composent ce récit : le miracle – le pommier – l'arrivée de l'enfant dans le camp – le rêve du déluge – les poissons – des jeux et des amis dans le verger – l'incompréhension du soldat devant le miracle – la neige – le retour de l'enfant vers les douches – la mort du jeune homme – le partage de la pomme avec les détenus – la sortie hors du verger et la poursuite par les soldats.

a. Groupez ces épisodes suivant leur appartenance au monde réel ou au monde imaginaire, en respectant l'ordre chronologique.

b. Les deux mondes sont-ils toujours nettement séparés ? Justifiez votre réponse.

Comprendre le texte

L'enfant

13. Quand il arrive devant les douches, l'enfant quitte-t-il volontairement ses compagnons ? Justifiez votre réponse (l. 56 à 66).

14. Comment juge-t-il sa fuite et son évasion dans le verger (l. 182-186 et 212-221) ? Est-ce inhabituel de sa part ou conforme à son caractère ?

15. Quels sentiments éprouve-t-il à son arrivée dans le verger (l. 113-181) ? à son réveil le surlendemain matin (l. 468-485) ? quand il s'est habitué à cette vie protégée (l. 609-628) ?

16. Quels moyens emploie-t-il pour se distraire dans le verger (l. 497-513) ? Expliquez la phrase « toute solitude est folie » (l. 506).

17. À partir de quel moment l'enfant intervient-il auprès des autres détenus ? Retrouvez le passage précis.

18. Qu'est-ce qui le pousse à rejoindre le convoi à la fin du récit ? Énumérez les différentes raisons qui le motivent. Comment comprenez-vous la « joie mystérieuse » qu'il ressent (l. 712) ?

Les soldats

19. Comment se comportent-ils envers les détenus ? Comment considèrent-ils leur travail ?

20. Comment réagit Horst, lorsque l'enfant lui échappe la première fois (l. 67-141) ? la seconde fois (l. 393-449) ? lors de l'épisode du jeune homme (l. 660-670) ?

Étudier un genre : la nouvelle

Le narrateur

21. Le récit est-il écrit à la première ou à la troisième personne ? Savez-vous qui est le narrateur ? Intervient-il dans la narration en ajoutant des commentaires personnels ? Justifiez votre réponse.

Le merveilleux

Comme dans les contes, certains éléments du récit n'appartiennent pas au monde réel.

22. Qu'est-ce qui fait du verger un lieu merveilleux ? Citez le texte.

23. Deux rêves se glissent dans la narration. Retrouvez-les. Quels sont les personnages qui rêvent ? Quels sentiments le rêve révèle-t-il chez chacun d'eux ?

24. Quels personnages imaginaires partagent les jeux et les rêveries de l'enfant ?

Le dénouement

25. Quels éléments communs le dénouement présente-t-il avec le début du texte (l. 1 à 66) ? Quelle différence essentielle y a-t-il cependant dans le comportement et les sentiments de l'enfant ?

Se documenter

Le jardin d'Éden

« Yahvé Dieu planta un jardin en Éden, à l'Orient. [...] Yahvé Dieu fit pousser du sol toute espèce d'arbres séduisants à voir et bons à manger. »

(Genèse, II, 8, 9)

26. Quel rapport pouvez-vous établir entre ce jardin et le verger du récit ? Quel fruit se trouve dans l'un et l'autre lieu ? Pourquoi est-ce seulement un enfant qui peut y avoir accès ?

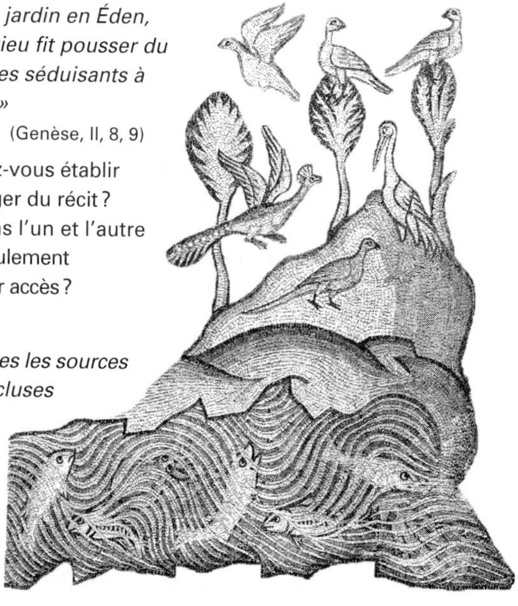

Le déluge

« Ce jour-là jaillirent toutes les sources du grand abîme et les écluses du ciel s'ouvrirent. La pluie tomba sur la terre quarante jours et quarante nuits. »

(Genèse, VII, 11, 12)

27. Pourquoi Dieu a-t-il décidé d'envoyer le déluge aux hommes ? Dans la nouvelle, quels sont les pouvoirs du pied-bot et de l'enfant ? Qui veulent-ils punir ?

La manne céleste

Toute la communauté des enfants d'Israël atteignit le désert de Sîn. [...] Elle se mit à murmurer [...] : « Vous nous avez amenés dans ce désert pour faire mourir de faim toute cette multitude. »
Yahvé dit à Moïse : « Je vais faire pleuvoir du pain du haut du ciel [...] »
Au matin, il y avait une couche de rosée tout autour du camp. Cette couche de rosée évaporée, apparut, sur la surface du désert, quelque chose de menu, de granuleux, de fin comme du givre sur le sol. [...]
Moïse leur dit : « Cela, c'est le pain que Yavhé vous a donné à manger. »

(Exode, 16, La Bible de Jérusalem, éd. du Cerf, 1973)

28. Dans quelle mesure la nourriture de l'enfant dans le verger s'apparente-t-elle à la manne ? Que doit-il faire pour mériter celle-ci (l. 497-506) ? Que représente pour les détenus la pomme lancée par l'enfant (l. 578-608) ?

S'exprimer

29. Un jour, un autre enfant – fille ou garçon – rejoint dans le verger l'enfant de la nouvelle. Faites le récit de leur rencontre et imaginez une suite à cet épisode.

Débattre : entrer dans le monde des adultes

30. À votre avis, les parents doivent-ils à tout prix protéger leurs enfants du monde de la violence ?

TEXTE 9

Le crin de Florence

À l'épouvantable odeur de pourriture qui imprégnait leurs vêtements, leurs mains et leurs cheveux, on reconnaissait les fillettes travaillant à la soie.

Dans la chaleur d'étuve[1] des filatures, leur visage écarlate penché sur les bassinets d'eau bouillante, elles allaient chercher de leurs mains agiles, mais enflées et rouges comme celles des laveuses de lessive, l'extrémité du fil de soie.

Les fileuses avaient dix, onze, douze ans, souvent moins. On les faisait mettre en rang, on leur faisait croiser les bras et réciter la prière. Ce n'était pas pour rien qu'on nommait les filatures les « couvents soyeux ».

Tout au long du jour de travail, un long jour de douze heures – il commençait quand il faisait encore nuit et s'achevait à la nuit : 5h, 19h –, la vapeur d'eau et la chaleur exaltaient[2] l'odeur des chrysalides mortes.

Et c'est dans la puanteur et l'inconfort de l'humidité brûlante, que grossissaient au-dessus de leurs têtes les écheveaux[3] de claire soie.

Ainsi la soie somptueuse naissait-elle dans l'odeur de la mort.

Mais il y avait un travail plus déplaisant, plus malodorant encore que celui du dévidage des cocons.

---

1. Chambre ou bain dont on élève la température afin de provoquer de la vapeur. Une chaleur d'étuve est humide, pénible à supporter.

2. Rendre plus fort, amplifier.

3. Assemblages de fils.

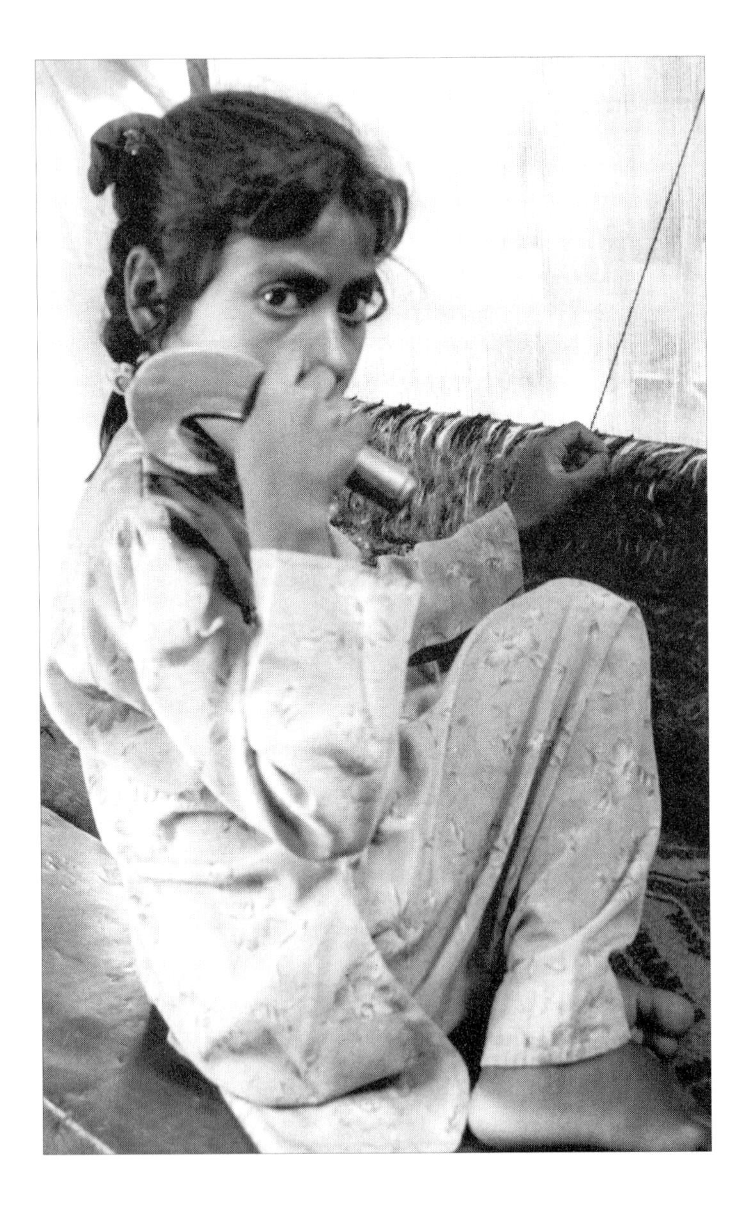

Certains vers étaient ouverts vivants. Les doigts menus allaient chercher, dans la tiédeur visqueuse des viscères[4], les glandes séricigènes[5]. Il fallait les étirer mécaniquement pour obtenir un fil plus fin qu'un cheveu et plus solide qu'un filin.

25 On en fabriquait des bas de lignes[6] et un fil chirurgical pour les sutures[7] les plus délicates.

On l'appelait : le crin de Florence.

Marie ROUANET, *Le Crin de Florence*, éd. Climats, 1986.

Repérer

Le titre

1. Expliquez le titre. Qu'est-ce qu'un « crin » ? À quels usages le destine-t-on dans le texte ? Citez d'autres objets qui nécessitent son emploi.
2. Florence est-il le prénom d'un personnage ? le nom d'une ville ? et, dans ce cas, laquelle ? Où se situe-t-elle ?
3. Par quelle phrase se termine le texte ? Quel rapport offre-t-elle avec le titre ?

Le lieu et le temps

4. Savez-vous précisément où et quand se déroule cette scène ?
5. À quel temps sont conjugués les verbes ? Quelle est la valeur de ce temps ? Quel est l'effet produit ?

Le travail des fillettes

6. Trouvez dans le deuxième paragraphe (l. 4-7) un synonyme de l'adjectif « écarlate » (l. 4).
7. Relevez dans le texte trois mots de la famille de « fil ». Précisez le sens de chacun d'eux.

---

4. Organes contenus dans les cavités crânienne, thoracique ou abdominale ; par exemple le cerveau, le cœur, les reins.

5. Celles qui produisent la sécrétion, c'est-à-dire la substance d'où l'on tire la soie.

6. Partie du fil de pêche qui porte l'hameçon.

7. Des points, qui, à l'aide de fils, permettent de recoudre une plaie.

8. Qu'est-ce qu'une « chrysalide » (l. 14) ? un « cocon » (l. 20) ?
9. Relevez les expressions qui indiquent les conditions dans lesquelles travaillent les petites filles. Sont-elles péjoratives ou mélioratives ?
10. Dégagez les deux parties du texte en donnant un titre à chacune d'elles. Que précise la seconde partie par rapport à la première ? Quelle conjonction marque le passage de l'une à l'autre ?

Comprendre le texte

La présence du narrateur

11. Pourquoi appelle-t-on les filatures des « couvents soyeux » (l. 10-11) ?
12. Pouvez-vous deviner les sentiments du narrateur à l'égard des fillettes ? Justifiez votre réponse.

Étudier les techniques d'écriture

Les oppositions

13. Le texte est construit sur de fortes oppositions entre la beauté de la soie et la dureté du travail des enfants. Relevez ces oppositions et dites ce qu'elles apportent au texte.

Étudier un genre : la nouvelle

14. Ce texte met-il en scène un personnage ? Raconte-t-il une histoire ? Quel est le parti pris du narrateur ?
15. À votre avis, qu'est-ce qui différencie ce texte d'un article de journal ou d'une enquête ? Observez la présentation typographique des paragraphes.

Étudier un thème : l'enfant et le travail

Melancholia

Dans ce poème, Victor Hugo dénonce les conditions de travail des enfants à l'aube de l'ère industrielle du XIXe siècle.

Où vont tous ces enfants dont pas un seul ne rit ?
Ces doux êtres pensifs que la fièvre maigrit ?

Ces filles de huit ans qu'on voit cheminer seules ?
Ils s'en vont travailler quinze heures sous des meules ;
5 *Ils s'en vont, de l'aube au soir, faire éternellement*
Dans la même prison le même mouvement.
Accroupis sous les dents d'une machine sombre,
Monstre hideux qui mâche on ne sait quoi dans l'ombre,
Innocents dans un bagne, anges dans un enfer,
10 *Ils travaillent. Tout est d'airain, tout est de fer.*
Jamais on ne s'arrête et jamais on ne joue.
Aussi quelle pâleur ! la cendre est sur leur joue.
Il fait à peine jour, ils sont déjà bien las.
Ils ne comprennent rien à leur destin, hélas !
15 *Ils semblent dire à Dieu : « Petits comme nous sommes,*
Notre Père, voyez ce que nous font les hommes ! »
Ô servitude infâme imposée à l'enfant !
Rachitisme ! travail dont le souffle étouffant
Défait ce qu'a fait Dieu ; qui tue, œuvre insensée,
20 *La beauté sur les fronts, dans les cœurs la pensée,*
Et qui ferait – c'est là son fruit le plus certain ! –
D'Apollon un bossu, de Voltaire un crétin !
Travail mauvais qui prend l'âge tendre en sa serre,
Qui produit la richesse en créant la misère,
25 *Qui se sert d'un enfant ainsi que d'un outil !*
Progrès dont on demande : Où va-t-il ? que veut-il ?
Qui brise la jeunesse en fleur ! qui donne, en somme,
Une âme à la machine, et la retire à l'homme !
Que ce travail, haï des mères, soit maudit !
30 *Maudit comme le vice où l'on s'abâtardit,*
Maudit comme l'opprobre et comme le blasphème !
Ô Dieu ! qu'il soit maudit au nom du travail même,
Au nom du vrai travail, sain, fécond, généreux,
Qui fait le peuple libre et qui rend l'homme heureux.

Victor HUGO, « Melancholia », *Les Contemplations*, 1856.

16. a. Quel est le sort de ces « enfants dont pas un seul ne rit » (v. 1) ?
b. Quelles sont les conséquences physiques et mentales de cet état ?
17. Relevez les termes qui comparent les machines à des monstres.
18. Quel est le « vrai » travail, selon Victor Hugo ? Citez le texte.

L'exploitation de l'enfant aujourd'hui

Le recours à la main-d'œuvre enfantine et son exploitation éhontée sont malheureusement très répandus dans certains pays pauvres. Ainsi, le Dr. Braun dénonce-t-il le travail de la petite Pom, 9 ans, embauchée dans une des multiples entreprises électroniques de Taïwan pour fabriquer à bas prix des calculatrices électroniques ou des postes de radio à transistors..

[...] Seulement, pour effectuer ces travaux délicats, il faut des doigts de fée capables de souder sans erreur des fils de quelques dixièmes de millimètre de diamètre [...]. Les fabricants de gadgets électroniques se sont tournés vers ceux et celles qui présentent toutes les qualités requises et qui ne se montreront pas trop exigeants : les enfants.

Dr. P. Braun, « Les gosses du désespoir », éd. Mercure de France, 1981.

Enquêter

Les droits de l'enfant

19. Recherchez dans la Convention internationale des droits de l'enfant les articles concernant le travail des enfants.

20. Enquêtez autour de vous : quels petits travaux sont demandés journellement à des enfants dans les familles de votre entourage ? Les enfants accomplissent-ils ces travaux volontiers ?

Présentez le résultat de votre enquête sous forme de tableau.

TEXTE 10

Lucien

Lucien était douillettement recroquevillé sur lui-même. C'était là une position qu'il lui plaisait de prendre. Il ne s'était jamais senti aussi heureux de vivre, aussi détendu. Tout son corps était au repos et lui semblait léger. Léger comme une plume, comme un soupir. Comme une inexistence. C'était comme s'il flottait dans l'air ou peut-être dans l'eau. Il n'avait absorbé aucune drogue, usé d'aucun artifice pour accéder à cette plénitude[1] des sens. Lucien était bien dans sa peau. Il était heureux de vivre. Sans doute était-ce un bonheur un peu égoïste.

Une nuit, le malheureux fut réveillé par des douleurs épouvantables. Il se sentit comme serré dans un étau, écrasé par le poids de quelque fatalité. Quel était donc ce mal qui lui fondait dessus ! Et pourquoi sur lui plutôt que sur un autre ? Quelle punition lui était là infligée ? C'était comme si on l'écartelait, comme si on brisait ses muscles à coups de bâton. « Je vais mourir », se dit-il.

La douleur était telle qu'il ferma les yeux et s'y abandonna. Il était incapable de résister à ce flot qui le submergeait, à ce courant qui l'entraînait loin de ses rivages familiers. Il n'avait plus la force de bouger. C'était comme si un carcan[2] l'emprisonnait de la tête aux pieds. Il se sentait attiré vers un inconnu qui l'effrayait déjà. Il lui sembla entendre une musique abyssale[3]. Sa résistance faiblissait.

Le néant l'attirait vers lui.

Un étrange sentiment de solitude l'envahit alors. Il était seul dans son épreuve, terriblement seul. Personne ne pouvait l'aider. C'était en solitaire qu'il lui fallait franchir le passage. Il ne pouvait en être autrement.

---

1. État de ce qui est plein : épanouissement.

2. Collier de fer et, par extension, ce qui serre.

3. Qui a rapport aux abysses, c'est-à-dire aux grandes profondeurs.

Ses tempes battaient, sa tête était traversée d'ondes douloureuses. Ses épaules s'enfonçaient dans son corps. « C'est la fin », se dit-il encore. Il lui était impossible de faire un geste.

Un moment, la douleur fut si forte qu'il crut perdre la raison et sou-
30 dain ce fut comme un déchirement en lui. Un éclair l'aveugla. Non, pas un éclair, une intense et durable lumière plus exactement. Un feu embrasa ses poumons. Il poussa un cri strident. Tout en l'attrapant par les pieds, la sage-femme dit : « C'est un garçon. »

Lucien était né.

Claude BOURGEYX, *Les Petits Outrages*, éd. Le Castor astral, 1984.

Repérer

L'aspect du texte

1. a. Combien de paragraphes cette nouvelle comporte-t-elle ? **b.** Deux d'entre eux sont extrêmement courts. Pourquoi, d'après vous, une telle brièveté ?

2. À partir de quel paragraphe l'action débute-t-elle réellement ? Quel mot l'annonce ? Quel changement de temps observez-vous ? Justifiez-le.

Les effets de style

3. Relevez deux phrases non verbales dans le premier paragraphe. De quels mots sont-elles composées ? Quelles figures de style contiennent-elles ?

4. Relevez, dans les lignes 9 à 20, des comparaisons et des métaphores. Que traduisent-elles ?

5. Quel est le champ lexical dominant dans les lignes 9 à 20 ?

Comprendre le texte

6. Indiquez à quel endroit du texte vous avez clairement compris ce dont il s'agissait.

7. Reprenez le texte et, maintenant que vous en savez la fin, relevez tous les mots ou expressions qui préparent un tel dénouement.

8. a. Quelle idée le narrateur se fait-il de la vie dans le ventre maternel ? Citez le texte à l'appui de votre réponse.
b. Quel mot, à la deuxième lecture, révèle déjà qu'il est question de la vie prénatale ?
c. Les expressions « bien dans sa peau » (l. 7) et « heureux de vivre » (l. 7-8) ne sont-elles pas en contradiction avec le terme que vous venez de relever ? Déduisez-en le ton du narrateur à ce moment du texte.
9. a. Quelle idée le narrateur se fait-il de l'accouchement ? Justifiez votre réponse.
b. Quel sentiment éprouve Lucien au moment de venir au monde ? Peut-on mettre ce sentiment en relation avec l'absence de personnages dans la nouvelle ? Justifiez votre réponse.
10. Par quels termes le narrateur traduit-il les premiers moments de la vie ? Quels sentiments expriment-ils ?

Étudier un genre : la nouvelle

La chute

Un texte a une bonne *chute* lorsque le dénouement surprend le lecteur par son côté inattendu, voire contraire à ce que supposait le développement de l'histoire.

11. En quoi peut-on dire que la chute dans cette nouvelle est particulièrement réussie ?

S'exprimer

12. Un bébé, vivant pour quelques jours encore dans le ventre de sa mère, est doué de la raison et de la parole. Imaginez, en dix ou quinze lignes, ses réactions et ses commentaires quand sa mère prend le bus, fait des courses au magasin, pratique un cours de gymnastique.

Comparer

13. Lisez un extrait de Rabelais, sur la naissance de Gargantua (voir les chapitres V ou VI).

TEXTE 11

C'est arrivé

C'est arrivé. Cette chose-là est arrivée. Si à l'époque j'avais pu me ménager quelque doute, j'en suis maintenant certain. Je crois même que cette chose-là m'a accompagné, souterraine, tout au long de ma vie alors 5 que je n'y avais plus jamais pensé depuis, disons depuis un demi siècle... En ce temps-là j'avais bel et bien fui toute question mais aujourd'hui je la regarde en face. Je suis sûr de tout, image par image, mot par mot, silence par silence. 10 Grâce à ce long recul, au sens où l'entendent les peintres, je vois mieux, j'entends mieux. J'ai appris à voir, à entendre. Je vais pouvoir me dire la vérité entière.

Elle avait douze ans, j'en avais dix. Car c'est 15 un fait : moi, tel que vous me voyez, j'ai été un garçon de dix ans. Petit Guillaume qui d'ici depuis deux mois aura ce même âge affecte de me croire sous prétexte que je lui ai montré des photos d'époque où j'arborais – moi, l'oncle 20 Joseph qui a toujours été vieux – de longs cheveux blonds sous un chapeau rond de paille d'Italie. Je ne suis pas dupe. Je sais bien qu'il ne croit pas vraiment à cette fable illustrée. Certes, ces documents devenus flous sont amusants à regarder mais 25 ils n'ont rien à voir avec la réalité, celle qu'il rencontre tous les jours, son monde. Tout ça, images, paroles, fait partie de ces histoires sans importance que les adultes se croient obligés de raconter aux enfants, grand bien leur fasse...

Elle avait douze ans, j'en avais dix. Pourquoi ? Parce qu'elle était ma voisine immédiate ? Parce qu'elle jouait avec moi – de moi ? – dans le jardinet commun aux appartements de nos parents ? Parce que je n'approchais aucune autre fille autant qu'elle, de si près, si souvent ? Et parce qu'elle avait, prestigieuse, deux ans de plus que moi ? Oui à toutes ces questions, bien sûr. Mais aussi parce qu'elle était si jolie, si vive, si gaie, si vivante. Et enfin, je l'ai appris plus tard, « parce que c'est comme ça », parce qu'il n'y a pas d'explication pour ces sortes de choses... Je la regardais comme un petit Bon Dieu qui voulait bien me tolérer auprès de lui, auprès d'elle, bon à tous coups pour ses caprices, pour ses douceurs incroyables, pour ses rires et ses éclats. Un jour parce qu'elle me l'avait demandé, j'avais avalé un mignon petit escargot tout vivant, avec sa coquille. Elle était partie d'un éclat de rire splendide et m'avait traité d'imbécile. Il n'empêche : j'avais bien compris que je lui avais donné ce jour-là l'une des plus grandes joies de sa vie, passée, présente, à venir, et qu'elle ne l'oublierait pas.

Elle avait douze ans, j'en avais dix quand ses parents l'ont emmenée avec eux dans un bien joli pavillon, de l'autre côté de la grande avenue. Quand je l'ai rencontrée devant la porte de sa nouvelle école – école de filles, rien que de filles – je ne l'avais pas revue depuis près d'un mois, une éternité. Tout de suite, comme on dit « bonjour » après s'être quittés la veille, je lui ai dit : « Tu sais, depuis que tu es partie, je te rencontre toutes les nuits quand même, dans mes rêves. » Elle m'a regardé comme si elle me voyait pour la première fois, ou comme si elle cherchait dans ses souvenirs. Elle m'a mesuré des pieds à la tête, avec mes dix centimètres et mes deux ans de moins qu'elle, et puis elle est partie du même éclat de rire – non, pas tout à fait le même – que le jour de l'escargot. Elle m'a mis un bon baiser mouillé sur la joue, elle a dit « gros bêta » et m'a laissé sur le trottoir pour entrer dans son école, de filles seulement, qui se bousculaient un peu pour franchir la porte à la dernière mnute, et que je voyais à peine puisque je ne voyais qu'elle.

De ce jour je m'étais arrangé pour me trouver chaque matin devant son école, quitte à devoir courir ensuite comme un fou pour ne pas arriver en retard à la mienne, quitte à trouver la grande porte déjà fermée et attraper cent lignes, deux cents et jusqu'à cinq cents pour récidives[1].

Chaque matin devant son école je lui demandais de me donner le temps, un jeudi – le mercredi était alors jeudi – de lui raconter mon rêve, celui qui revenait le plus souvent. Nous serions allés jusqu'au jardin public et là j'aurais pu tout lui dire. Elle refusait toujours. Pire : un mercredi elle m'avait dit « D'accord, demain après-midi... » et n'était pas venue. Le vendredi matin j'avais couru jusqu'à son école. Elle s'était fâchée : « Encore toi ! Qu'est-ce qu'il faut faire pour réussir à te décourager ? Tu n'as pas encore compris que je ne joue plus avec les petits ? » Le samedi, le lundi, le mardi, toute la semaine j'étais encore là. Elle m'accordait deux, trois minutes quand même et, finalement, j'avais pu lui raconter bribe par bribe le plus gros de ce rêve où je la rencontrais toutes les nuits. C'était un beau rêve. Nous entrions tous deux dans le jardin public et nous allions main dans la main jusqu'au banc vert caché par la haie verte et là, comme au temps où nous jouions ensemble, elle me cajolait, j'osais la cajoler, j'avalais des escargots, elle m'embrassait, je l'embrassais, j'étais heureux, elle était heureuse. Son bonheur n'était peut-être pas le même que le mien, et le mien, je n'aurais pas su dire, je n'aurais pas cherché à dire de quoi il était fait, trop fort, trop grand pour le faire tenir dans des mots. Nous étions heureux tous les deux dans mon rêve.

---

1. Le fait de recommencer la même faute.

J'avais pu enfin lui dire presque tout ça, matin après matin, bribe après bribe, entre ses railleries[2], ses sourires amusés et, un lundi, sa rebuffade[3] : « Allez ! Va-t'en ! Et ne reviens plus. Je ne veux plus te revoir, compris ? Si tu reviens, je te fais manger par les filles. Tu ne vois
100 pas qu'elles se moquent de toi, toutes ? Et mets-toi bien ça dans la tête : je n'irai jamais avec toi au Jardin, jamais. »

Trois jours plus tard comme j'étais revenu quand même, comme je l'approchais, angoissé, obstiné, timide, elle ne m'a pas donné à manger aux filles, ni chassé. Elle m'a regardé, dévisagé, mesuré comme si
105 de nouveau elle me voyait pour la première fois. Elle avait l'air étonnée, incertaine. Elle s'est penchée vers moi et m'a dit à l'oreille : « Est-ce que tu as rêvé de moi cette nuit ? » Cette question ! Bien sûr, j'avais rêvé d'elle ! Elle a poursuivi : « J'étais avec toi ? » Évidemment, elle était avec moi, comme toujours. « Où étions-nous ? » Au jardin public, pardi.
110 « À quel endroit du Jardin ? Sur le banc vert, derrière la haie verte ? » Comme si elle ne le savait pas depuis que je le lui répétais ! Elle m'a regardé en plein dans les yeux comme si elle cherchait quelque chose. Il y a eu une minute de silence, longue, longue. Après quoi elle a repris ses questions, son interrogatoire :

115 – On faisait quoi ?

– Tu le sais bien.

– Quand tu as commencé à rêver, quand tu as commencé ton rêve, il était quelle heure ?

– Quelle heure ? Je ne peux pas te dire, mais dès que je m'endors,
120 mon rêve revient, tu reviens.

– Cette nuit aussi ? Le même rêve, avec tout ce que tu m'as raconté ?

– Oui.

– Fais un effort, essaye de te rappeler l'heure exacte. C'est important.

J'ai fait un effort. Je me suis rappelé. J'étais déjà à moitié endormi
125 quand j'ai entendu sonner dix heures.

– Dix heures, tu es sûr ?

– Oui. Pourquoi ?

---

2. Moquerie.

3. Mauvais accueil, refus méprisant.

Elle m'a souri comme depuis longtemps elle ne m'avait pas souri :

– Je vais te le dire, pourquoi. Moi aussi, juste après dix heures, j'ai fait ce rêve, le même que le tien, tout pareil.

– Toi ?

– Moi. J'étais avec toi, au Jardin, sur le banc vert, derrière la haie verte, tout ça, tout le reste, et j'étais contente tu peux pas savoir.

C'était merveilleux, c'était fabuleux d'entendre ça. Mais je n'avais pas encore tout entendu. Elle s'est à nouveau penchée vers moi, sa voix était toute changée, plus basse, plus douce, plus chaude :

– Tu sais ce que je crois ? Je te le dis mais ça doit rester un secret entre nous. Tu jures de ne le répéter à personne ?

– Je jure.

– Bon. Alors, voilà : tu as compris maintenant pourquoi j'insistais à propos de l'heure ?

Non, je n'avais pas très bien compris.

– C'est pourtant simple : je crois, je suis sûre que, puisque c'est à la même heure, il n'y a pas trente-six explications : on s'est rencontrés tous les deux dans le même rêve, mon poulot. Tu comprends. On s'est rencontrés pour de bon, toi et moi pour de vrai, dans le même rêve. C'est clair, non ! On a été vivants, ensemble, dans un autre monde que celui-là. C'est sûr... Si on racontait ça personne ne nous croirait. Et pourtant c'est la vérité, la vérité vraie, formidable.

Je n'allais pas hésiter ! J'avais répondu vite, très vite : « Oui, bien sûr. C'est la vérité, tu as raison, sûr ! C'est formidable. »

Peut-être que je n'avais pas compris tout ce qu'elle voulait dire, peut-être que je n'avais pas vraiment cru que c'était vraiment la vérité... mais je n'en avais rien à faire ! Ce n'était pas le moment de me poser ce genre de question ! J'étais trop heureux, trop comblé, je décollai. Et ce n'était pas fini ! Elle avait enchaîné tout de suite – la sonnerie de la rentrée grelottait dans la cour de son école – en caressant ma joue d'un geste vif, ma joue gauche : « Demain, jeudi, à deux heures, à l'entrée du jardin, je t'attendrai. » La sonnerie de l'école s'était tue. Le concierge arrivait déjà pour fermer la lourde porte. Elle a pris le temps quand même de me lancer : « Cette fois j'y serai. Promis, juré, à deux heures. »

Cette fois, j'en étais certain, il n'y aurait pas de lapin.

Toute la nuit, aux anges, je n'ai pensé qu'au lendemain. Ce n'était
165 plus un rêve. Tout le jeudi matin et pendant tout le repas de midi – où mes parents m'ont demandé si j'avais la langue et l'appétit coupés – je n'ai pensé qu'à l'après-midi, « deux heures ».

À deux heures, je ne suis pas allé au jardin public. Je savais qu'elle m'attendait à l'entrée. J'avais peur. J'avais bien trop peur, si je l'avais
170 rencontrée pour de vrai sur le banc vert, derrière la haie verte, de ne plus jamais retrouver mon rêve, mon si beau rêve de toutes les nuits.

Le vendredi matin, pour la première fois depuis bien longtemps, je ne suis pas allé devant l'école de filles. Je n'y suis plus jamais allé.

Maintenant, un demi-siècle après, je suis bien obligé de passer aux
175 aveux : je ne m'étais pas vraiment demandé si c'était vraiment possible que nous nous soyons rencontrés un peu après dix heures de la nuit, pour de bon, pour de vrai, dans notre rêve – comme d'autres se rencontrent dans un bistrot ou dans un jardin public. Aujourd'hui, avec le recul, j'en suis certain, c'est arrivé.

Jean RAMBAUD, « C'est arrivé », *Brèves*, n° 49, Atelier du Gué, 1995.

Repérer

La narration

1. Relevez les pronoms personnels dans le premier paragraphe. À quelle personne sont-ils ? Le narrateur est-il ou non un des personnages de l'histoire ?

2. a. Dans la nouvelle, le narrateur mêle les temps du présent et du passé.Citez-en quelques-uns et donnez leur valeur.

b. Combien d'années se sont écoulées entre le temps de l'écriture et les faits racontés ? Citez le texte à l'appui de votre réponse.

La structure du texte

3. Dégagez, dans les lignes 30 à 173, la progression de l'intrigue et donnez un titre à chaque partie. Aidez-vous des indications temporelles pour répondre.

Comprendre le texte

Rêve ou réalité

4. Quel souci motive le narrateur à raconter si longtemps après ce qui lui est arrivé dans son enfance (l. 1-13) ? Citez le texte.

5. Pour quelles raisons, chaque nuit, le garçon rêvait-t-il de sa petite voisine ? Appuyez-vous sur le texte pour répondre.

6. « Quand je l'ai rencontrée » (l. 58) et « Je te rencontre toutes les nuits » (l. 61-62). Quelles différentes significations prend ici le verbe « rencontrer » ?

7. Comment expliquez-vous le changement d'attitude de la fillette (l. 102-110) ?

8. Quels sont les indices laissant penser que le petit Joseph va se rendre au rendez-vous fixé par la fillette (l. 150-167) ?

9. Comment comprenez-vous qu'à la fin, le garçon renonce à s'y rendre puis renonce pareillement à se rendre à l'école des filles ?

10. Comment comprenez-vous la dernière phrase de cette nouvelle : « Aujourd'hui, avec le recul, j'en suis certain, c'est arrivé » ?

S'exprimer

11. Reprenez le texte à la ligne 168 et imaginez ce qui aurait pu se passer si le petit Joseph s'était rendu au rendez-vous de la fillette.

12. Ajoutez à cette nouvelle un paragraphe qui comporterait un portrait moral et physique du petit garçon ou de la fillette, selon votre choix.

TEXTE 12

La malédiction

Lucette, la jeune héroïne de cette nouvelle, est en train de faire une rédaction en classe. Le sujet l'inspire d'autant moins que son esprit est obsédé par le souvenir d'une récente mésaventure avec un jeune garçon, Maxime Perrin.

Lucette regardait la feuille de papier blanc, le bureau, la jupe qui remuait au bord de la chaise, les jambes qui sortaient de la jupe, et pensait. Puis elle revenait à son papier blanc. La jupe formait, en tombant de la chaise, un éventail de plis. Le papier était du papier réglé, comme
5 celui sur lequel elle écrivait depuis un an, depuis toujours. Elle aimait la vue du papier réglé, où l'écriture ne peut pas s'égarer, où la marge est limitée par un trait rouge. C'était ennuyeux et rassurant. Le papier de la chambre de bonne était rayé, lui aussi. De grosses raies verticales, couleur de sang séché. Le visage du garçon se détachait, pâle, sur le
10 fond sombre. Derrière lui, cette ombre énorme, trépidante – son ombre, qui faisait des bonds sur le mur, au gré de la flamme... Il y avait combien de mois de cela ?... Trois jours, trois de ces petits jours qui d'habitude passaient inaperçus. Dans le mouvement qu'elle avait fait pour le repousser, elle avait dû heurter la lampe. L'espace de quelques secondes,
15 ils étaient restés dans l'obscurité, face à face, à respirer l'odeur de la lampe éteinte, qui continuait à fumer, et l'odeur de la toile cirée, qui sentait le roussi. Il paraît que Pigeon est un nom d'homme. On apprenait cela dans les classes. Comme Poubelle. Comme Guillotin. Quand un nom propre arrive à devenir un nom commun, c'est le comble de
20 la célébrité. Les machines à couper le cou étaient probablement aussi nécessaires que les appareils pour l'éclairage, que les boîtes à ordures. Elle vit tout à coup Maxime Perrin dans le costume des bagnards, des condamnés à mort. Ce serait bien fait. Poubelle et Guillotine ; cela allait bien ensemble. Il fallait que les hommes fussent très ingénieux pour
25 arriver à faire disparaître proprement les ordures. C'était étonnant

qu'aucun système de tout-à-l'égout ne fût déguisé d'un nom humain. Il aurait bien fallu. On avait déjà usé tant de mots ! On avait même trouvé le moyen, par le détour d'une langue étrangère, de déshonorer l'élément du monde le plus dur, le plus irréprochable : l'eau... C'était
30 la présence de l'homme sur la terre qui corrompait toutes choses. Sans l'homme, tout serait beau, net, sans tache. C'était l'homme, la pensée qui souillaient[1] tout...

– Mademoiselle...

Une voix timide dans le fond de la salle. Les plumes s'arrêtent de
35 gratter. Le silence devient absolu – insoutenable, comme tout ce qui existe au maximum, sans mélange. Être soi-même au maximum, sans mélange : la foi qui soulève les montagnes... Une seconde de silence, de vrai silence, suffirait peut-être à changer le monde, à le nettoyer. Une seconde d'immobilité absolue : plus de gestes, plus de mots.

40 Mademoiselle n'a pas entendu. La voix répète, au comble de l'humilité[2] :

– Mademoiselle...

– Eh bien, dites...

– Est-ce que je peux sortir, s'il vous plaît ?...

45 – Sortez...

La porte, avec sa petite poignée de faïence, comme un œuf. Grotesque. Les tables, avec leurs trous vides pour les encriers, grotesque. Le parquet usé, aux lames ternies, entre lesquelles la poussière se dépose, le long des rainures, comme un ciment... Monde impur !... Et ils disent
50 qu'il ne faut pas mentir ! Ils se mentent tout le temps à eux-mêmes. Tout le monde se ment. Pour pouvoir vivre sans trop de dégoût, il faut mentir. Naturellement, personne ne dit ces choses-là. On ne les laisserait pas imprimer. On vous parle, dans les distributions de prix, dans les discours, de l'humanité en marche !...

55 Elle écoute, autour d'elle, les plumes qui grattent. Ce bruit menu, familier, rassurant – le bruit des petites vertus. Cela aussi a changé de sens pour elle ; elle n'éprouvait plus cet attrait pour l'écriture qui naguère la précipitait sur son papier aussitôt le sujet donné, avant les autres.

1. Salissaient.

2. Modestie.

Les autres ! Elle sait maintenant ce qu'il y avait derrière leurs petites
60 manigances[3]. Elle avait suivi Sabine à la sortie ; elle l'avait vue, avec un certain écœurement, s'en aller avec le grand blond. Elle mesure à présent tout ce qui la sépare de ses compagnes. Le papier rayé, la toile cirée, l'odeur de la lampe, l'odeur innocente et fraîche du linge séché dans la chambre ouverte... Ah ! s'il pouvait n'y avoir jamais eu au monde
65 de linge à sécher, à nettoyer !... Où est le remède ? Ne pas y penser – éteindre en soi cette flamme qui ne s'allume que pour notre tourment. Nous vivons dans une cave ; mais si l'on venait à éteindre la bougie ?... Alors il n'y aurait plus de cave, plus rien : la délivrance.

De nouveau, une main s'est levée dans le fond de la salle.

70 – Mademoiselle, est-ce que je peux ouvrir ?

Un regard découragé de Mademoiselle. C'est la troisième fois qu'on lui demande la permission d'ouvrir, et qu'elle explique... Elle hausse les épaules :

– Ouvrez... Mais vous ne demanderez pas à fermer ensuite...

75 La chaleur est entrée aussitôt ; on se croirait dans la gueule d'une locomotive. Les platanes de la cour montrent leurs feuilles asphyxiées, sur lesquelles s'étendent des taches rousses. Dans la rue, tout à l'heure, le macadam était déjà en train de mollir ; on traversait la chaussée comme une flaque, sur la pointe des pieds...

80 Les plis de la jupe se déplacent. Mademoiselle a mis une jambe sur l'autre, on les aperçoit sous le bureau. Mademoiselle a des jambes longues et fines, d'une ligne très pure sous les bas de coton. Mademoiselle a levé les yeux ; ils ont rencontré ceux de Lucette, s'y arrêtent une seconde, imperceptiblement, le temps de frémir un peu sous leur admi-
85 ration, sous leur énigmatique prière, de savourer une sorte de brève et fragile complicité. Un sourire d'encouragement, vite réprimé ; puis la voix, si mesurée, si calme, qui a l'air d'ouvrir devant elle des espaces merveilleux, de grandes salles pleines de fleurs...

– Il me semble que vous rêvez, mon enfant... Il faudrait pourtant
90 travailler...

– Oui, Mademoiselle...

---

3. Manœuvre secrète et suspecte.

Honteuse d'avoir encouru un reproche de Mademoiselle, elle plonge dans sa copie et se met à écrire n'importe quoi : elle recopie le sujet, avec application, comme les élèves qui n'ont rien à dire. Mais comme
95 si elle avait regardé une fenêtre trop pleine de ciel, elle retrouve sur son papier l'image incroyable de Mademoiselle. Ces yeux d'un bleu de lessive, la lumière des cheveux, des joues, l'élan du cou : il y a de la lumière, de l'intelligence, même dans les légers plis de sa peau, là où se sont inscrits les douleurs, la sagesse, le temps... Mon Dieu, d'où peut
100 venir une Mademoiselle comme celle-là, au milieu de toutes ces duègnes[4] moustachues, de ces maritornes échevelées[5], au profil d'ouragan ?... Cette Mademoiselle-là pourrait comprendre, sans doute. Rien d'hostile, de rebutant chez elle. Elle a l'air de trouver le monde très propre, très bien fait. Elle vous regarde de ses yeux limpides, de ses yeux qu'elle
105 doit repasser au bleu tous les matins, et les choses paraissent alors toutes simples.

La plume de Lucette creuse, sculpte, déchire le papier ; la chaleur arrive de la fenêtre, par bouffées ; les poitrines se soulèvent, les plumes grattent. Mademoiselle bouge encore les jambes. Les jambes, les bras,
110 on sent que tout est sain chez elle, depuis la plante des pieds jusqu'à la nuque. Mademoiselle, Mademoiselle. Était-ce si difficile, ce soir-là, de courir jusque chez elle, de monter l'escalier, de presser le bouton de la sonnette, d'éclater en sanglots, de lui demander le mot qui l'eût sauvée, qui eût expliqué tout ?... C'était là ce qu'il aurait fallu faire,
115 Mademoiselle lui aurait expliqué tout, comme une page de calcul... Mais voilà, Lucette n'avait pas osé. C'était trop difficile. Et peut-être que Mademoiselle n'aurait pas cru son histoire : il ne se passait sans doute pas des choses comme ça dans son monde...

Elle se rappelait, comme un chose qui ne reviendrait plus, ses pre-
120 mières sorties avec le garçon, leurs premières haltes, dans ce jardin ; et ce jour où, comme elle était songeuse, il avait passé un bras autour de son épaule, gauchement ; et comme elle avait incliné la tête ; et comme elle avait senti contre son front le grain de sa veste, un peu

---

4. Femmes âgées chargées de surveiller les jeunes filles.

5. Femmes laides et désagréables aux cheveux en désordre.

rude, tandis qu'il relevait ses mèches ; et elle aurait voulu rester tou-
125 jours comme cela avec lui, côte à côte, et qu'il ne se passât rien de plus. Elle se rappelait encore la première fois qu'il l'avait accompagnée jusqu'à sa rue. Il avait pris sa main en rougissant. Elle avait fait un geste pour la retirer. Il avait demandé doucement : « Je ne peux pas la garder un peu, dites ?... » Cette timidité lui plaisait. C'était toujours ainsi qu'elle
130 s'était imaginé les choses. Elle n'avait pas osé dire sa pensée.

– Ce n'est pas cela, avait-elle dit, mais si on nous voyait !...

– Eh bien, quoi, si on vous voyait ?...

– Il y a une demoiselle de l'école qui habite par ici, vous savez...

Ce n'était pas la vraie raison, et elle était honteuse de lui dire cela.
135 Elle avait ajouté aussitôt, comme pour signifier qu'il n'avait rien perdu :

– D'ailleurs je suis arrivée, je suis chez moi...

Elle montrait la rue qui s'ouvrait, sombre, entre deux files de maisons toutes noires. Tout était si bien jusque-là. Et puis il y avait eu ce jour où, traversant le square, il lui avait demandé d'une voix si convenable :
140 « Est-ce que vous ne voulez pas vous reposer un peu dans ce jardin ? Il fait si chaud... Il doit faire si chaud chez vous... Il y a si longtemps qu'il n'a pas plu... » Alors, avait-elle eu pitié de lui, ou d'elle-même ?... Elle entendait encore la porte de fer du jardin qui claquait derrière eux. Elle revoyait le décor médiocre du square, avec ses pelouses d'herbes
145 usées aux angles, ses allées de cailloux, ses bancs où s'écrasait une humanité précaire, tout cela dont le souvenir lui rendait maintenant un reflet de son malheur... Sous ses yeux, la feuille blanche attendait toujours d'être couverte. Les feuilles blanches sont faites pour ça, pour être noircies. Lucette était toute seule devant sa feuille, et c'était comme si elle
150 avançait dans un désert. Et sur cette feuille, à l'endroit où elle aurait dû rédiger, elle voyait se dessiner la cage de l'escalier, toute sombre, et au lieu des phrases convenues dont il eût été facile de la couvrir, elle voyait s'inscrire la suite de la conversation avec Maxime, quand, un peu plus tard, il l'avait suivie jusqu'à sa porte.

155 – Qu'est-ce que vous allez faire là-haut, dites ?

– Je vais chercher le linge que maman a mis à sécher.

– À cette heure-ci ?...

– Eh bien, oui, il faut.

– Et pourquoi est-ce que votre maman n'y va pas ?
160 – Elle n'est pas là.
– Pas là ?... À cette heure-ci ?... Et où est-elle donc ?...
Elle l'avait regardé, si grave.
– Montez, il ne faut pas que je crie.
Il avait monté les dix marches qui le séparaient d'elle.
165 – Partie chercher Papa.
Il y avait eu un silence. Quand il avait reparlé, il n'avait plus la même voix.
– Mais alors, il n'y a personne chez vous ?...
– Bien sûr que non.
170 – Et vous n'avez pas peur, toute seule ?
– Peur ?... Pas dans la maison, bien sûr. Qu'est-ce qui peut arriver ?
Il avait offert de l'aider. Mais déjà, à cet endroit de l'escalier, au moment où la minuterie s'était éteinte, au moment où il l'avait rejointe, avant même qu'il eût posé la main sur son bras, si bizarrement, elle
175 avait éprouvé un sentiment de malaise, comme l'approche d'une chose désagréable. Elle avait aussitôt pressé sur le bouton. Il avait eu alors un étrange soupir. « Si vous saviez... Des fois on est si triste !... » Et voilà, parce qu'il était triste, il était devenu méchant, il avait attristé le monde. Et maintenant le monde était triste pour toujours.
180 Les jambes remuaient sous la robe. Parfois un souffle d'air la faisait frissonner. Mademoiselle devait avoir une vie heureuse et sans trouble. Elle avait dû naître dans une famille souriante. On n'imaginait pas que quelqu'un eût jamais essayé de l'embrasser sur la bouche. « Vous ferez le récit d'une journée passée en famille... » Le lendemain, le garçon
185 était revenu à elle, avec un air humble et contrarié.
– Est-ce que c'est donc si grave d'avoir voulu vous embrasser, dites ?...Est-ce que vous allez, pour une si petite chose...
Elle avait répondu, en tapant de ses pieds sur le sol :
– Je n'en avais pas envie... Vous n'aviez pas compris ? J'ai horreur
190 de ces choses-là, horreur. Je ne veux pas que ça existe.
Il avait eu alors une espèce de vilain sourire.
– Vraiment, est-ce que vous croyez que les autres font autant d'histoires ?...

Elle s'était levée, indignée, bien décidée cette fois à ne plus le revoir.
195 Mais elle avait encore eu le temps de l'entendre ricaner :

– Alors, vrai, à notre époque, en plein vingtième siècle !...

Elle sentait qu'il devait la juger sotte. Elle aurait voulu cracher sur son mépris.

« Vous ferez le récit d'une journée passée en famille... » Lucette regarde
200 les quelques notes qu'elle a jetées sur son papier, depuis une demi-heure que la composition est commencée. Les lignes ont beau vous inviter à écrire des choses sages et raisonnables sur la famille, rien ne vient. Elle revoit en elle-même le visage de son père, le jour où on l'avait retrouvé affalé sur le palier, tout raide ; elle sent l'odeur de l'éther qui emplissait
205 la chambre ; elle revoit l'air sérieux et appliqué de l'homme qui faisait la piqûre. On avait dénudé un bras, et l'homme tenait son aiguille braquée dans ce bras, et poussait sur une petite pompe. Elle revoyait toujours cette bouche tordue, ce regard qui avait l'air de revenir d'un autre monde. Pendant plusieurs jours, il vous avait regardée avec ces yeux-là,
210 pareils à des yeux de verre, perdus dans un visage tout rouge et tout rond, encombré de broussailles ; et puis bientôt il s'était levé, grand et maladroit, dans la chambre, comme un pylône, et on aurait dit que c'était quelqu'un d'autre. Et il avait gardé longtemps une jambe toute raide, et il était là, au milieu de la chambre, debout sur une jambe, s'appuyant
215 d'une main sur une canne, le visage rouge et crevassé de rides, avec sa moustache grise un peu de travers, relevant haut la tête, comme s'il voulait paraître encore plus grand, et arpentant la maison avec des mouvements saccadés, comme un bonhomme mécanique. Et après quelques jours d'une étrange humilité, il était devenu plus orgueilleux que jamais,
220 et brutal, et il donnait des ordres à haute voix à travers l'appartement, comme s'il n'y avait eu que lui. Puis il avait recommencé à sortir, jugulant sa peur ; et maman avait recommencé à pleurer. Et tout en pleurant, elle parlait de son petit garçon qui était mort il y avait dix ans, en pleine nuit, après une maladie qu'elle ne nommait pas, et qui, paraît-il,
225 faisait hurler. Et souvent encore, quand elle soupire, on l'entend nommer son petit Maurice. Si Maurice était là. Si Maurice avait vécu. « Vous ferez le récit d'une journée passée en famille, peindrez votre mère dans ses occupations quotidiennes, etc. » Maman était cette femme sèche

qui parlait avec des tremblements, d'une voix où perçait toujours une
230 note d'indignation ou de menace. On ne pouvait rien dire à une femme qui vous persécute de sa sollicitude et qui, de son expérience, de son âge, s'est fait à jamais une arme contre vous. Et dont toutes les paroles sont des défenses. « Lucette, tu vas te mouiller. Lucette, ne te tiens pas comme ça. Lucette, tu ne vas pas encore une fois sortir sans te pei-
235 gner !... » Sans te peigner, parce qu'elle a une petite mèche qui flotte sur la tempe et que le peigne ne contient pas ! C'est drôle, tout ce qui manque au père est en trop chez la mère. Il y a des contrastes comme celui-là dans les familles. « Vous ferez le récit d'une journée... » Tiens, c'est une idée : « Ce jour-là, Maman est venue et a dit : Lucette, tu ne
240 vas pas encore une fois partir sans te peigner... »

Et après ?... Oh, ça ne va pas, ça ne va pas du tout... Il aurait mieux valu être orpheline, n'avoir jamais eu ni père ni mère... Si on pouvait naître de rien... Ou si elle avait pu avoir pour frère Maxime Perrin, oui, cela aurait été tellement plus simple ! Elle retrouva soudain le contact
245 de cette veste contre sa joue, revit sur son bras cette main aux doigts maigres, si pâles. Ses petites camarades auraient sans doute bien ri, si elles avaient su. « Il lui récite des vers, oui, figure-toi... » Elle avait saisi ce mot de Sabine, un jour, au passage, prononcé dans un grand éclat de rire ; depuis, elle détestait Sabine. Soudain elle avait dit : « Vous me faites
250 mal... » Ce n'était pas vrai. Mais il avait retiré son bras en rougissant.

On n'a pas entendu la porte s'ouvrir. Madame la Directrice entre toujours sans bruit, comme il convient à une personne qui a la passion du flagrant délit. C'est une grande femme maigre, comme maman, qui a des robes en forme de sac, qui amène partout la terreur, qui ne répète
255 jamais deux fois, et qui adore punir. Sans doute est-elle encore venue faire un sermon[6], ou lire une note sur le décolletage des robes. S'il n'y avait pas Mademoiselle, on pourrait croire que les grandes personnes n'ont pour rôle que de vous faire penser au mal. Surtout ces femmes qui n'ont point engendré[7].

260 – Mademoiselle Jouve...

---

6. Discours qui fait la morale, souvent ennuyeux.

7. Qui n'ont pas donné naissance à des enfants.

Lucette pâlit. Si Madame la Directrice l'appelle, c'est que quelque chose est arrivé. Déjà l'autre fois, quand son père a eu son accident... Elle a vu les plis de la robe bouger sous la table. Mademoiselle est debout. Elle descend de sa petite estrade, va dire un mot à voix basse, d'un ton
265 poli, à l'oreille de la Directrice, mais du premier rang on a entendu ce qu'elle disait :

– Madame la Directrice, vous savez que ces petites sont en train de composer...

La Directrice répond à haute voix, pour que tout le monde l'entende :

270 – Je regrette, Mademoiselle, j'ai besoin de Mademoiselle Jouve, je vous la rends dans cinq minutes.

La porte se referme sans bruit. Lucette a disparu, toute menue dans son tablier noir, suivie du regard de Mademoiselle. Mademoiselle se rassied, puis se relève négligemment, comme pour se détendre, fait le
275 tour de la classe, revient devant la place qu'occupait Lucette, juste sous son bureau. Le papier est vierge. Tout juste une ou deux phrases. Ce jour-là, maman est venue et a dit... Eh bien, si tout le reste était comme ça, ce ne serait pas embêtant. Ma mère aussi me disait ces choses. Est-ce que les mères continuent à être hantées par les mèches qui taqui-
280 nent le front de leurs filles ? Elle fait le tour de la classe, jette un coup d'œil çà et là sur les copies. « Qu'y a-t-il de plus agréable qu'une journée passée en famille ? Maman tricote auprès de la fenêtre. Papa dort dans le fauteuil, un journal sur les genoux, le petit chat ronronne... » Allons, on revient avec sympathie à la copie aux cheveux dépeignés.

285 La poignée tourne dans la serrure, quelqu'un secoue la porte de l'extérieur, sans pouvoir ouvrir. Mademoiselle va ouvrir. Lucette rentre dans un grand bruit de sanglots, toute secouée de hoquets, le visage enfiévré, les mains, le corps tremblants. Toute la classe vibre ; on entend, dans la salle jusque-là silencieuse, des frottements de chaussures, des
290 bruits de plumiers, des phrases...

– Voyons, mon enfant, je ne sais pas ce qu'il y a, mais calmez-vous...

Les sanglots redoublent. Mademoiselle s'approche, elle n'a jamais vu cette expression de terreur dans les yeux d'aucune petite fille. Mon Dieu, pourvu qu'elle ne se mette pas à crier !

295 – Voyons, Lucette... Ma petite Lucette...

Les mains de Mademoiselle sont fraîches et fines sur la joue de Lucette, sur ses tempes. Ah, rester ainsi, le visage entre ses deux mains, devant les grands yeux éclatants et purs, qui sont comme une eau paisible et sans traîtrise, une eau claire qui scintille sur un fond de pierres bleues. 300 Souvent, en regardant les beaux yeux clairs de Mademoiselle, elle s'est dit que toute la vie pourrait être comme cela. La vie... Mademoiselle... Il faudrait que ce soit toujours comme cela. Oui, comme cela. C'est bien cela qu'elle aurait dû faire ce soir-là, aller voir Mademoiselle. Si je pouvais aller vivre chez elle, ne plus rentrer chez moi, ne plus ren- 305 trer dans cette affreuse école. Car il y a des êtres qui sont faits pour appeler la haine.

Les larmes tarissent; Mademoiselle essuie de son fin mouchoir parfumé de lavande les paupières, les lèvres gonflées; au fond des yeux noyés une larme coule encore; mais maintenant, c'est la bonté de 310 Mademoiselle qui la fait pleurer. Oh, elle ne remettra plus les pieds chez elle, ni à l'école, ni nulle part, elle s'enfuira loin, loin... Ou alors...

– Ça va mieux ?...

La bouche se tord, une étincelle passe dans les petits yeux noirs.

– Oui. Merci, Mademoiselle...

315 – Vous allez être calme maintenant ?...

– Oui... Je n'ai rien fait, vous savez... Vous me croyez, vous, Mademoiselle ?

– Oui, mon enfant, je vous crois... Tâchez de travailler un peu si vous pouvez... Nous arrangerons ça...

320 Elle n'avait rien fait ; elle avait lutté, au contraire ; elle entendait encore le bruit de sa propre course dans l'escalier quand, profitant de l'obscurité, elle s'était enfuie. Ce qui était affreux, c'était cette métamorphose d'un visage, d'un être jusque-là fraternel ; ce visage né, familier, soudain pareil à une écorce qu'on tourne et sous laquelle on 325 découvre un grouillement de vermine...

Quand la cloche a sonné, et qu'elle a eu recueilli toutes les copies, Mademoiselle est partie vers le bureau de la Directrice.

Elle y est enfermée depuis un bon quart d'heure. La voix aiguë, coupante de la Directrice emplit la pièce. À son cou pend une petite chaîne 330 d'or, qui va se perdre dans les plis du corsage, et que chaque mot fait trépider.

– Je ne comprends pas que vous défendiez cette élève, Mademoiselle. Nous venons de la faire passer devant le Conseil de discipline, c'est exact. Il a jugé. Trois jours d'exclusion et, bien entendu, rayée du tableau 335 d'honneur. Mademoiselle Chalde sort tout juste de mon bureau, elle a été très nette.

– C'est elle qui l'a vue ?

– Parfaitement, c'est elle. Il se trouve qu'elle habite le même quartier que la « petite », comme vous dites. Elle a eu le bonheur de la sur- 340 prendre avec ce garçon. Ils sont entrés ensemble dans un jardin public ! Elle les a vus !...

– C'est tout ?...

– Comment ? Cela ne vous suffit pas ?

Alors, la voix de Mademoiselle, très calme, une voix sous laquelle 345 on devine un certain sourire.

– Votre service est bien fait.

Un silence suffoqué.

– Je ne fais qu'appliquer les instructions de Monsieur l'Inspecteur, instructions à défaut desquelles les exigences de ma conscience me suffiraient. Il n'est pas donné à tout le monde d'être indulgent, Mademoiselle...

– Je le vois, Madame. Mais en restant sur le plan professionnel, je me permets de regretter que l'on soit venu me prendre une élève en pleine composition pour la faire passer devant le Conseil de discipline. La petite Jouve est rentrée dans ma classe bouleversée, tout en larmes, au bord de la crise de nerfs. Il y a toute chance pour qu'elle ait manqué sa composition...

– J'en serais enchantée, Mademoiselle...

Mademoiselle eut un mouvement de recul. Elle n'en croyait pas ses oreilles. Les mots avaient jailli en sifflant des lèvres minces de la Directrice. Ses yeux lançaient des éclairs. Elle s'était levée, ou plutôt elle avait bondi hors de son fauteuil pour prononcer des paroles décisives, qui étaient sorties d'elle avec la violence des cataclysmes ; et elle restait là, debout derrière son bureau, frémissante, comme soulevée par le vent de la malédiction.

– Je regrette, mais j'en serais enchantée ! Vous pourrez le dire à votre petite « protégée »...

Mademoiselle se retira, muette, dans un air cinglé de paroles vengeresses. Comme elle poussait la porte vitrée qui séparait l'antichambre du couloir, elle heurta une forme qui se dissimulait dans la pénombre – et elle reconnut la cafarde, Mademoiselle Chalde, dont le visage boutonneux, à la peau malsaine, reflétait une expression avide et jouisseuse, comme si elle avait fouillé les entrailles de l'enfant.

Paul GADENNE, « La malédiction »,
in *Scènes dans le château*, éd. Actes Sud, 1986.

Repérer

Les personnages

1. Qui est le personnage principal ? Quel est son prénom ? son nom ? Quel âge lui donnez-vous ?

2. Quels personnages agissent directement au cours de la nouvelle ? Quels personnages sont cités mais n'apparaissent pas ?

3. Recherchez des exemples où la narration est entrecoupée par des réflexions ou des pensées de l'héroïne. Donnez les lignes.

4. L'héroïne se souvient d'un événement. Dans les lignes 1 à 32, relevez les indications temporelles qui indiquent quand a eu lieu cet événement.

Le lieu et le temps

5. Où se passe l'histoire ?

6. Relevez les détails qui situent le lieu et l'époque de l'action. L'action se passe-t-elle de nos jours ? Justifiez votre réponse.

Comprendre le texte

7. Résumez clairement ce qui s'est passé entre Lucette et Maxime. Pourquoi est-elle si bouleversée ? Comment juge-t-elle la conduite de Maxime ? Citez le texte à l'appui de votre réponse.

8. Qu'apprenons-nous sur les parents de Lucette ? Justifiez votre réponse.

9. En recherchant les passages significatifs, tracez le portrait physique et moral de Mademoiselle telle que Lucette la voit. Sa manière d'agir à la fin de la nouvelle correspond-elle à ce portrait ?

10. Pourquoi Lucette passe-t-elle devant le Conseil de discipline ? Qui l'a dénoncée ? Quelle phrase du texte (l. 1-54), faisait craindre cette dénonciation ?

11. Pour quelles raisons la Directrice se montre-t-elle aussi sévère envers l'héroïne ? Comment jugez-vous sa manière d'agir ?

12. Dans le dernier paragraphe, le narrateur donne-t-il clairement son opinion sur la Directrice et sur Mademoiselle Chalde ? Quelles expressions, quelles images permettent de deviner l'opinion du narrateur sur ces deux personnages ?

13. Quelle est l'étymologie du mot « malédiction » ? Quel est son sens ? Trouvez un synonyme de la même famille et justifiez le titre de la nouvelle.

Étudier un genre : la nouvelle

Le point de vue du narrateur (voir définition, p. 62)

14. Observez à quelle personne s'exprime le narrateur : la première ou la troisième personne ?

15. À travers la subjectivité de quel personnage les événements sont-ils rapportés ?

16. Après avoir répondu aux deux premières questions, dites à quel type de point de vue ce texte se rattache. Argumentez votre réponse en donnant des exemples pris dans le texte.

Le monologue intérieur

17. À quel événement récent Lucette pense-t-elle sans cesse ? À quoi voit-on que ce souvenir l'obsède ?

18. Qu'ont d'excessif et de pessimiste ses jugements sur les grandes personnes et sur la vie en général ? Comment cela s'explique-t-il ?

19. À quels moments prête-t-elle un peu d'attention à ce qui se passe dans la classe ?

20. Dans les lignes 55-68, étudiez comment se mêlent :
- les sensations déclenchées par ce qui se passe dans la classe ;
- les réflexions méprisantes sur les camarades de classe ;
- le retour du souvenir obsédant ;
- les regrets et la souffrance.

Étudier la langue

Les expressions figurées

21. À quel objet Pigeon a-t-il donné son nom ? À quel mot anglais, souvent employé en français, Lucette fait-elle allusion (l. 27-29) ?

S'exprimer

22. Chez vous, dans votre chambre, vous traînez sur un devoir qui vous ennuie. Dans un récit à la première personne, dites quels sont les pensées et les souvenirs qui vous passent par la tête et vous empêchent de travailler.

23. Vous avez été accusé(e) d'une faute que vous n'aviez pas commise. Dites dans quelles circonstances ; évoquez vos réactions, vos sentiments et ceux de votre entourage.

Débattre : entrer dans le monde des adultes

24. Selon vous, l'institution scolaire favorise-t-elle le passage de l'enfance à l'âge adulte ?

Se documenter

Le matériel scolaire au fil du temps

25. En vous aidant des documents qui sont disponibles dans votre CDI, présentez en deux paragraphes détaillés le matériel scolaire dont un élève disposait au début du siècle et celui dont il pourrait se servir en l'an 2050.

Sur l'ensemble des nouvelles

Les personnages

1. a. Quel est le personnage principal de chacune des nouvelles que vous avez lues ? Faites sa fiche d'identité (âge, condition, qualités, etc.). Mettez en valeur tout ce que ces personnages ont en commun.
b. Les personnages principaux décrits vous paraissent-ils des êtres exceptionnels ou des personnages de la vie courante ?
2. a. Le héros de chaque nouvelle évolue-t-il seul ou bien est-il en relation avec d'autres personnages ?
b. Précisez, sous forme de tableau, leur identité et leur rôle auprès du héros (aide ou opposant).

L'énonciation

3. a. Dans quelles nouvelles le narrateur participe-t-il à l'histoire ?
b. Dans quelles autres est-il extérieur à l'histoire ?

Les thèmes

4. Précisez le thème dominant de chacune des nouvelles que vous avez étudiées et regroupez-les en trois ou quatre familles.

Le réalisme

5. a. D'après vous, lesquelles de ces nouvelles paraissent très proches de la réalité ? Lesquelles, au contraire, s'en éloignent ? Dites pourquoi.
b. Quelle est la proportion de nouvelles proches de la réalité par rapport à celles qui s'en éloignent ?

Le traitement de la narration

6. Dans quelle nouvelle trouvez-vous :
- un retour en arrière,
- des dialogues,
- des ellipses temporelles,
- des réflexions du narrateur ?

La chute et le dénouement

7. a. Quelles nouvelles se terminent par une « chute » inattendue ?
b. Lesquelles ont une fin « ouverte » (qui laisse entrevoir plusieurs possibilités de dénouement) ?
c. Lesquelles ont une fin « fermée » (qui ne laisse place à aucun revirement) ?

L'étude d'un genre : la nouvelle

La nouvelle : un genre multiforme

8. La nouvelle, comme nous l'avons vu, est en permanence aux frontières des autres genres littéraires. Selon vous :
a. Quelle nouvelle peut s'apparenter à un conte ? Pourquoi ?
b. Quelle nouvelle peut s'apparenter à un fait divers ?
c. Quelle nouvelle peut s'apparenter à un poème ?
d. Quelle nouvelle peut s'apparenter à du théâtre (dialogues) ?
Justifiez chacune de vos réponses.

Les traits distinctifs de la nouvelle

9. Voici plusieurs éléments qui permettent de définir la nouvelle. Complétez le tableau suivant en répondant, pour chaque nouvelle étudiée, par oui ou par non. Quelle définition de la nouvelle pouvez-vous donc donner ?

Un seul lieu	Peu de personnages	Une durée concentrée	Dénouement (fin ouverte)	Longueur

Index des rubriques

Table des illustrations

Iconographie : Hatier Illustration avec la collaboration de Laure Bacchetta
Principe de maquette et de couverture : Tout pour plaire
Mise en page : ALINÉA

Imprimé en France
Imprimerie de Montligeon - 61400 La Chapelle Montligeon
Dépôt légal n° 17023 - Novembre 1998 - Impr. 19154